文化の土壌に自立の根

——音楽×知性、数学×感性など越境自在な根の動きを追う——

伊原　康隆

Yasutaka Ihara

すぐれた芸術・文化が育ててくれるのは
関連性を自らイメージして楽しめる力

フォーカス・イメージの嵐の中、いま大切なことは――

序　章

私たちは情報が安直に入ってくる時代に生きており、その中で自らの主体性を保っていかなくてはなりません。そのためにしっかりした「個」、流されない個の確立が必要ですが、その「根」を落ち着いて育てることができそうな豊かな土壌は一体どこに隠されているのでしょうか。身内、友人やご近所、仕事場などとの繋がりの「場」はむろん大切です。しかし社会や世代のスケールを越え環境の激変にも耐えうる普遍性に期待するなら、時代を超えて創られてきた「様々な文化」とそれを育んできた土壌にもっと眼を向け、そこを掘ってみてもよいのではないか。学校で「勉強として」少しずつ教わってはきたが「能力証明の競争」のような試験のためと見做され、それが故に多くの生徒に決して好まれてはいなかった人類文化の様々な成果。実はそれぞれが素晴らしい、そこに根を張れば根源的な生きる力を与えてくれるはずの土壌なのに。

その文化の土壌、ひとたび本物にふれて啓発されれば、中心軸

↓情報↓知識↓理解↓より深い理解↓（より深い喜び）↓

にそって、能力の向上を楽しみながらそこに根を下ろし広げていけると思うのです。軸の出発点は本物との出会いによって啓発された心であり、情報はその心が知りたいと願って開いた窓から入ってくるものを指しています。理解は広い意味で、「感性的な把握」もこめたものとします。この「↓」が進むと本来の向上心に目覚め「向上心を満足させない消費的な娯楽って、実はつまらない……」と思えるようになるかもしれません――いや、なるでしょう。自分自身の精神世界を育てる。これにより強い関心が向かえば、その時々だけの勝負感覚を文化の世界にまで過剰に持ち込んでいる風潮からも、はっきり、自立できるのではないでしょうか。

本書はこの軸にそって展開します。対象はなるべく文化的深みのあるもの一つか二つ、話の中心はそれらを自分の中に徐々に取り込んで同化してゆく道のり「↓」における具体的話題、実例と分析です。段階の「区別論」ではありません。

三部構成です。

第一部（中枢部）は基盤となる四章です。

心の琴線に触れる対象との出会いの例（第1章）。筆者の限られた体験と感想であることをご了承下さい。次の主題は

「わからない……」。

この「わからない」という、いわば逆向きの矢印「↑」による「現在位置」の確認にまつわる話（第2章）。「漠然とわからない」も含め、個々の「わからない」を積極的に「一つの対象」とみてその存在場所を心の中に確保し、「困り者」としてではなく「これぞ重要人物」としてよく観察すること。これが（遠くギリシャ時代にさかのぼる）文化の基礎中の基礎です。この書の最初の重要なポイントの一つになります。哲学ではありません。具体的な話です。

次は好奇心と好回心（造語）による矢印の進み方（直線的な好奇心、回旋的な好回心。第3章）。好回心は『三四郎』の中の「低徊家」とも通じる、数学者がうろうろ歩きまわって警官に職務質問されるとき頭の中では何が起こっているか（又は大したことは起こっていないのか）、怠けるとは実は努力の主体を（頃合いを見はからって）意識領域からそれよりはるかに強力な無意識領域にバ

トンタッチすること、といった実感など。

そして「わかりたい」よりも積極的な、自分の中にその「特徴をイメージして」自分の「内面に取り込みたい」。

これこそ筆者のいう意味で「わかる」の本質に関わること。イメージの境界の特徴的な「線」を描くのは好奇心と好回心による筆使い、そしてそのイメージを質疑応答によって修正してゆくことの必要性（第4章）。強いていえばこのあたりが本書の核心です。他はすべてこれらとの関連づけで理解していただきたいと思います。

第二部（周辺部）は広める方向で、周辺の話題をいくつか取り上げてみます。

まず、言葉を「その位置付けが曖昧なままに」用いることの大きな危険性。日常生活でではなく、世論形成でです。これを二つの社会問題的観点から取り上げます（第5、7章）。社会問題などには疎いはずの数学者が「何を出しゃばって……」とお感じになる読者もきっとおられるでしょう。しかし筆者には、「根本的に区別しなくてはならない概念が同一の言葉で表現されることの普遍的な危険性、これを数学者は若いときから身をもって悟らされており、従ってそれを普通より鋭敏に感じ取れるのではなかろうか――」、こう思えてなりません。そして今ほど言葉の曖昧さに人がごまかされないことの重要性が高まっている時代はかつてなかったのではないか。まず、きちんとイメージを持てない言葉を嫌うことから始めないと、というわけで、この二つの章はワサビが強くなっています。

第6章では、一見全く異なるものの間の共通性の発見の面白さ、これをダーウィンとフランクリンを例に取り上げ、加えて「より曖昧だが深いところで遠い分野をつなぐ」メタファーについても（正負両面から）はじめのひと言。

次いで、普通より少し掘り下げたイメージングの楽しさと意義の話を、人体、音楽そして数学関係から（第8〜10章）。

第11章は、筆者の観点での「素人が音楽をさらに楽しめるための一つの準備として」書いてみました。わずかな楽理の習得が「より深い喜び」の収穫につながります。たとえば「自分はモーツァルトファンだが何調とか属七とかは知らない」という方のお役に立てればと考え、また第14章へのつなぎの必要性もあって、それらの基礎を「数学をやさしく説明するプロ？の眼」で書いてみたものです。

第三部「夜想部」は特殊な場合を多少深めた「いわば奥の院」と言ってよいでしょう。

まず筆者の数学者としての体験からの「わかりかた特集」（第12、13章）。このうち第13章の「理感」は（他の事情によってここに置きましたが）中枢部に置いてもよかった本書の中心的キーワードの一つです。勉強とは単に「習うべきもの」というより、自分の可能性を「探るためのもの」という意識が大切ですが、（感性というものがあまり意識されない）理科系で「『探の心』が育む感性」。これが理感（の一つの側面）です。

次いで実は深いところでつながっている音楽表現と数学的構造の基本的関係、第11章の続きとしてモーツァルトの知的なオペラでの表現を例に具体的解説を試みます（第14章）。

第15、16章は「数学者の弁明」——身近に数学をやっている「変人」がいたら……ご参考に。ああ、そういうことだったのか、と見直してやっていただけるきっかけになれば幸いです。

第17章は、主にドイツの数学者のユーモア、ウイットや音楽的表現がテーマで、その生きた実例をトピックスとしてお話ししたいと思います。フェルマの問題に関する実地体験がもとです。

第18章は音楽にまつわるいくつかのメタファー、そして曲の中での変奏曲楽章の特徴と面白さなど、話と実例の「解析」をいくつか。

第19章の前半ではフェルマの問題のワイルズとテイラーによる証明の実質的な内容。これについては長年の数学的な深い関心に加え筆者自身の貢献もちょっぴり入っておりますのでその立場で、理系でも重要なメタファー（この場合、山と水系に喩えて）を用いて表現してみました。
関連して最近話題のＡＢＣ予想。望月新一氏による証明が年月を経てやっと認知された旨の報道があり、本論文も出版されました（２０２１年4月）ので、付記としてこの話題にも触れたいと思います（第20章および付録）。

そして終章は
「文化の社会的位置づけの危うさと個人の思考における自立の危うさ」
これらが如何に関連しあって進行しているか、その根源の分析と警鐘です——こちらは「古典文化など不要、新情報だけが大切」と信じきっておられる方々、さらには現に文化に携わる仕事をしておられながらも反文化的な風潮に積極的に逆らうべしとまでは思っておられない方々への（辛口）メッセージです。この分析をご理解いただいた上でそれに対してどうお考えかお聞かせいただければ大変幸いです。

本書の中核は手づくりイメージングとも言えますから、筆者が作ったイメージを眺めていただく箇所は最小限——実際、ほとんどありません。記述をもとに、本書の余白に、別紙に、あるいは心の中に、読者ご自身がイメージを描きながらお読みいただくことを想定しております。ですから通常の教養書や啓蒙書のように楽に早く読めるわけではないかもしれません。眠くなってほしくない節目節目には、気付かずに通過ができないような『節目』（難所）があるでしょう。

でも「わかった」は「手作りイメージができること」という本書の原理では「表面的記述だけで楽にわかったと思う」のは「わかっていない」こと、「わかるためには自分で再現してみるしかない」ことになりますので、それに正直に従いました。至らないところが多々あると思いますが、興味を感じてくださった一部分でもそこを丁寧にイメージしながら読んでいただければ大変幸いです。大したことが書いてあるわけではなく、現代忘れられかけている「当たり前のこと」を思い起こしていただきたいだけですので。

目次

夜想部

中枢部

第1章　文化の土壌、本物との出会い

（A）この章は序章で述べた軸

↓　情報　↓　知識　↓　理解　↓　より深い理解　↓（より深い喜び）↓

の対象を文化の土壌から選んではどうでしょう、という話です。

先人たちが築いてくれた文化の土壌――文化は広い意味の科学、文学、芸術を含めた様々な分野での人間の叡智の蓄積です。ときどきの天才的閃きを含めた多くの叡智と苦労、批判を受け修正もされ長年に亘って受け継がれ発展してきたものですから、それなりの、いや、はかりしれない価値があり、十分に味わい深く理解すればするだけ感動と生き甲斐が呼び起こされる、そういうものだと思います。それらを栄養源として「その土壌で自分の世界を」育てていく、これが「精神生活」の新たな楽しさに目覚めさせ豊かさをもたらしてくれると思うのです。

情報の外圧は精神を「外から圧迫」しますが、こちらは精神を「底から広げて」くれると私は思っています。あとは、本来備わっていて目覚めを待っていた自らの吸収力がいつ文化遺産という大栄養源を発見するかの問題でしょう。身近なところにも眠っているのではないでしょうか。「身構えて先送り」ではなく、その一ページをまず開いてみればそれが目覚めのきっかけになるのではないか。また、土壌に根付かせるには良く耕す必要があり、手っ取り早くはできません。でも基本的に農耕民の生き残りです。強い動機づけさえあれば十分耕す辛抱強さが遺伝子に組み込まれているのではないでしょうか。

時代による文化の受けとめかたの偏り、というものがあります。それが常に「進歩」しているとは誰も思わないでしょう。現代日本がどういう偏りなのかを知っていただくことが最初に必要なように感じます。筆者が育った時代との大きな相違を、ご参考までに述べておきましょう。

日本では終戦後も暫くの間は、本物の「文化」にじかに接する機会はめったにありませんでした。その代わりその下地を与えてくれるべき教養書やラジオの教養番組、音楽ではレコードなどは適度にあり、数は少なくても今よりも個々の大切さが目立っていたように思います――。

ほら偉人の伝記、ほらベートーベンのソナタ、その文庫本、レコードだよといった感じ。ですから筆者の世代では、選ばれた少ないものを何度も味わって慣れ親しむのが割に普通でした。そしてそれらを通して本物へのあこがれの念を育む機会がありました。本物に出会ったときは感激と興味倍増につながったものでした——ちょっと遅すぎたにしても。

そして環境が変わり、教養番組はあっても選択肢が多すぎて一つのものに慣れるキッカケにはならない、一方、夏目漱石が町の本屋に置かれていない、よい音楽はそれぞれ自分でダウンロードできるからとラジオ、テレビであまり流されない、だから身近な人からの影響がなければ自然に知る機会が少ない、その一方、本物に触れたければ（対象によって高額なものもあるが）その機会は以前よりはるかに多い、ただし憧れの念が薄い状態で安易に本物に触れても、写メを送って

ほら、これを、有名なこれを、見ましたよ

終わり。こういう状況になってしまって既に久しいのではないでしょうか。いま欠けているのは本物への憧れとモチベーション「だけ」であろう——もったいない！

というわけで、若いうちになるべく沢山のジャンルで多くの「本物文化」にふれる、その機会を積極的に求めて下さい。真によいものは、自分に合ってさえいれば心の琴線にもふれる——この精神的高揚感を早く実体験してほしいと思います。長期的努力に値する対象を見分ける識別能力をつけるためにも。本物と偽物を区別できる鑑識眼は、はじめから多くの本物に接すること「のみ」に

よって育つといわれています。そしてそれらの中から更に深く自身の「心の琴線」に触れるものを見つけましょう。

（B）音楽　若いうちからが大切な分野の例として「音楽」をあげるのは大方の共通認識であろうと思います。

（B1）よい音楽を子供に　滋賀県大津市の県立芸術劇場びわ湖ホール。ここは響きの良いことで（ホワイエからの湖水と近江の山々の眺めの良さでも）世界的に知られ、海外からの公演も日本初演のオリジナル公演もあり、全国のオペラファン、地元の合唱団などに愛されているオペラハウスですが、毎年春の一時期、県内の小学生を一日何校かずつ中央のS、A席に招き「音楽会へ出かけよう！」という取り組みもしています。世界の名曲、２０１９年はチャイコフスキー、ヘンデル、グリーグ、ヴェルディ、の一流プロによる生演奏を、子供目線で語りかける司会者のもとで楽しく聴かせる取り組みです。私も縁あってオブザーバーとして上の階の脇の席――一階の客席を見下ろせる位置――から見る機会に恵まれましたが、まず最初にさまざまな楽器の紹介がありました。スクリーンに楽器が映り、ステージにそれぞれの奏者が。それからホール専属の声楽アンサンブルのメンバーがソプラノ、アルト、テノール、バスのパートをちょっとずつ歌ってみせる——さすが美声！　次に本日の曲目の作曲家に興味を持ってもらうため世界地図とプロフィール、こうして期待感の雰囲気が高まったところでいよいよ本番、数々の名曲の演奏に入ります。

生徒達一般に受けていたのはやはり面白い司会と歯切れよいリズムの曲でしたが、眺めたところ一列のうち一人か二人の子供は真に没頭して聴いており、これは将来へのよい種まきであろうと感銘を受けました。引率の音楽の先生が自ら指揮者のように夢中になっておられたのも好ましい光景でした。

なお、新型コロナウィルス蔓延のさなかでもこの企画は分散継続されているようです。またこの時期の無観客上演の先駆けの功績によって、びわ湖ホールは２０２０年度の菊池寛賞を受賞されました。「オペラ『神々の黄昏』の無観客上演をいち早く決断、ユーチューブでの配信は海外からも含め41万人が視聴し、コロナ時代の文化イベントのありかたに一石を投じた」との授賞理由が菊池寛賞のホームページに載っています。

幼少時からの体験。まずは歌ったり踊ったりが楽しいは共通の原点だと思いますが、それに加えて「よい音楽を聴くのは心地よい！」という体験も重ねてほしいものです。音程感、メロディー感、リズム感は歌ったり踊ったりで身につきますが、もう一歩進めた「和音」に対する審美感も基本的に大切でしょう。これは日本の通常の生活文化の中であまり重視されていないと思いますが、幼少時から育てることが可能だし、それが大変重要といわれています。安定した和音とその心地よい進行を聴き慣れることで聴神経が正しく「調律」され調和の感覚が芽生え、さらに名曲のよい演奏を聴くことによって音楽の自然な流れに対する感覚も育つでしょう。バッハなどを小さい頃から聴きこんでいたらそうでない場合とかなり違うはずです。

楽器の稽古を幼少時から始めることの重要性の認識は、鈴木メソッドなど日本でも以前から広まりました。デジタル化された音でなく「生の楽器の妙なる音」に早くから慣れさせ、よい聴感覚をもたせるという意味でも大変よいことでしょう。ただ、どうも流布しているのは主にレッスン、技術、発表会での「自分の成功」のためという意識が中心、言い換えると「音楽好き」より「音楽を通して自分の能力を証明したい」という考え方が強いのではないか？　よい曲、よい演奏を聴いて楽しみ耳を肥やすという、専門家になるのでない限りは本来とるべき方向が、残念ながら日本ではそれほど重視されていないような気もします。健全な音楽性の育成のためには技能以前のところをもっと重視してほしい……。

（B2）音楽と感情

音楽は音楽家を目指す人のためだけのものではなく、微妙な心理や深い感情を表現できる「言葉以上の言葉」だといわれます。ひとはしゃべる前から歌っていたともいわれています。外国人と言語での会話ができなくても歌を通してなら肩を抱きあえることもあります。感情に固いシコリがあっても音楽は心地よい流れを作ってくれたり、大きく包み込んでくれたり、深く「通底」してくれたり、楽しさで忘れさせてくれたりします。すぐれた歌曲、たとえばシューベルト、のピアノと歌の掛け合いなど、自分で（ピアノ伴奏はしてもらって）歌ってみると一曲を知ることは一つの未体験の感情を知ることだと感じます。実体験では恐ろしさは恐ろしいだけの負の体験ですが、すぐれたオペラなどでは音楽によってすべてが包み込まれます。大人になって長期にわたって音楽の恩恵に授かるためには若い頃からの慣れが大切といわれます。曲がかもし出す感情は

音楽と人生的な感情の、個人の中での結合。

人生的な感情の実体験の多くは大人になってからですが、音楽は子供のうちから深いところで感じとるもの。その結合に感動し始めるのは青年時代からでしょうか。

さてここで念頭に置いているのは、音楽全般ではなく、筆者にも馴染みのあるクラシック音楽です。音楽は好きだけれどクラシック音楽はどうも……という方もおられます。その方々に二、三弁明をしたいと思います。「クラシック」は

深いところにある普遍的な感情を音楽自体の力によって「目覚めさせてくれるもの」。

これと対比的なのが「特定の感情を正当化するための手段として使われる音楽」で、こちらで大切なのは音楽よりもまず歌詞。これは演歌がその典型と思われます。たしかにクラシックのオペラや歌曲にもその要素が強い作品も沢山ありますが、根幹は何といっても前者の要素でしょう。それを味わう、つまり歌詞に依存しない音楽から何らかの普遍的な感情を感じ取るためには、準備、主に耳の慣れ、が必要です。これは「日本は西洋ではないから」幼少時からこの種の音楽が「自然には」耳に入ってこない、ですから仕方ないのです。でも要は耳の慣れだけ！　筆者にいわせれば

自分のレベルをちょっとだけ上げることで楽しみのレベルがぐんと上がる

という素敵な「御馳走」、そして比較的身近にあるもの、といえばクラシック音楽をおいてはあまりないのではないか？　喰わず嫌いはもったいない……。またクラシック音楽が「よび起こす感情」は悲劇的なものだけではありません。微妙な心理、あや、そしてユーモアやウイットといった余裕からくる遊びなども豊富です。

それらは、歌詞によらない分、

音楽的な調和と非調和

が呼び起こす感情的調和、非調和（及びそれらの波——音楽的な呼吸）がその力のもとになっており、その音楽的調和、非調和の源は和音の数学的な構造に依存しているのです。それを知り、曲の構造への理解が作曲者レベルに少しでも近づけば和音も豊富に聴こえ、より深く楽しめるでしょう。（第9、11、14、18章）。

ＮＨＫの朝ドラでヴェルディの歌劇「椿姫」の主役のヴィオレッタ役のオーディションに、古関裕而さんをモデルとする主人公の妻「音さん」が挑戦する話がありました。再挑戦に先だって花柳界に身を置くヴィオレッタの感情を理解するためにとバーで働いてみるのでした。でも筆者は「これはちょっと違う、それよりマリア・カラスのヴィオレッタ、とくに第二幕の歌のＣＤを聴いたらよいのに」と思いました。ヴィオレッタの感情そのものは実は非常にわかりやすい筋書きになっています。一方、超一流歌手の表現力は名曲の演奏を（慣れないうちは繰り返し）聴いて初めてわかるもの。「特定の感情を正当化する手段としての音楽」では、音楽とはいっても実は「従」ですから「その感情を体験する」ことも大切でしょう。でも多くのクラシックの名曲では、音楽が「主」

でありそれが人間の「より根源的な感情」を直接よび起こすのだと筆者も全身で感じております。モーツァルトのコンセプトも「歌詞は音楽の忠実な娘でなければならない」でした（モーツァルト書簡選集［Mz］より1781年10月父親宛）。優れた演奏は「未体験の感情、ただし普遍性をもった深い感情を目覚めさせてくれる」ものだと思うのです。

なお、より広範なこの種の話が、かつての名指揮者フルトヴェングラーによる『音と言葉』［Fw］（最終章）に述べられています。

（演歌対クラシック―補足）　これらとは別に、

演歌は日本的、庶民的な細やかな感情表現

クラシック（オペラ）は西洋的、貴族的な大袈裟な表現

と感じて後者に距離をおく方も多いのではないでしょうか。これを否定はいたしませんが、別の見方をすると、直接ものをいえない相手に対する「恨み節」を好むか、心の葛藤の（相手に向けてというより）「天に向けての自由な叫び」による心の一種の解放感を好むか、の相違もあるのではないでしょうか。

（C）構造美、奈良　人生経験と関係なく子供でも直接感じ取れる「文化的産物の美」となるとやはり「構造美」で、そうなると建築の美しさも音楽に次いで取り上げられるべきでしょう。ここでは奈良。時間帯と角度によってあるときは素晴らしく美しくみえる東大寺の三月堂、二月堂の上から見下ろす大仏殿、唐招提寺の金堂（天平の甍）――筆者も修学旅行のとき名残り惜しく、振り返り振り返りした憶えがあります。そして薬師寺の東塔。閑かで光の当たり方が絶妙な時間帯に出合えると最高です。構造的な特徴も日本独特だそうで、外国人に自慢したくなります（第4章（D5））。音楽にたとえたメタファーも知られています（第18章（A））。

一方、有名な佐佐木信綱の

ゆく秋の大和の国の薬師寺の塔の上なる一ひらの雲

がありました。王朝和歌の伝統にズームの手法を取り入れた名歌との解釈が主流、とも教わりました。ゆったりした情景が目に浮ぶ実にいい歌だな、と印象に残りましたが、実際に見てこの解釈からは解放されたくなりました。「一ひらの雲」はズームの最後の焦点というより、気分は「軽ろみ」と「動き」ではないのか？　秋の雲は急いで冬に向かうかのように流れゆくのが自然だし、凝視された塔の先端は雲と逆向きに流されているように見えます。この句の終わり方をモーツァルトで喩えるなら交響曲39番（変ホ長調）の最終楽章のたった「一ひらのフレーズ」によるごく軽い終わり方が連想されます。

けっきょく奈良近辺で動かないものは、
大和平野、大伽藍、大仏さま、そして薬師寺の東塔をいみじくも「凍れる音楽」と喩えたフェノローサのように感動した瞬間の「見る人のこころ」、
一方、動くものは、
近鉄電車、秋の雲と（錯覚で）塔の先端、そしてやさしく？出迎えてくれる鹿の群れと大勢の観光客、
ではないでしょうか。

直視の勇気を　さてその観光客、多くは写真を取りまくっています。あたかも、有名だが未だ来たことのなかった所に来て皆の仲間入りができたこと「だけ」を喜んでいるかの如く見えてしまいます。その気持ちはわかりますが、自分の眼でも見直すということをしないのはもったいないと思い

ます。ここで呼びかけたいのは

直視の勇気を！

ひとは物事に正面から対峙するのをなぜか避けたがる、といわれます。折角の一期一会の本物との出会い、カメラに収めて「感動を先送り」したり他の人に写メでパスして安心するのはとても惜しい。本物に出会ったのは報告義務のためではなかったはず。与えられた仕事を忠実にこなすのは会社での義務、余暇での主体は堂々自分が好きな対象と一対一でじっくり対峙するのもよいのではないでしょうか。自分の鑑識眼も、その潜在能力を信じてやってこそ成長するのですから。

(D) 美術館　それぞれの美術館が子供を何歳位から受け入れるか知りませんが、フランス南部のある美術館を訪れたとき小学生らしい団体に館員が話しかけていた光景が印象的でした。

「みなさん、見て下さい。人のからだがどんなに美しいかを！」

個別に作品の具体的な説明を受けるよりこのひとことのインパクト。ああ、これぞ文化教育だと得心がいきました（マルセイユのロンシャン＝Long Champs 美術館）。

私が美術館を訪れるようになったのは、国内で混み合った「特別展の回遊疲れ」を除けば、数学や音楽に比べてずっと後のこと、三十歳代以後、欧米出張中に当地の美術館にも立ち寄るようになってからでした。ゴッホには、弟テオとの悩み事などの手紙のやり取りを（神田の古本屋で見つけた）本で親しんではいましたが、シカゴ、パリなどで本物の作品にふれ、やはり感動しました。一番驚いたのは絵の色の「本物でしかわからない美しさ」そして（自分がそのとき見た）ゴッホの晩年の一連の作品が、精神の病を持っていたとはとても思えない、乱れを感じさせないものだったということでした。ロダン美術館では、ロダンの彫った曲面の美しさに引きつけられ、これは数学者の代数曲面の美しさ以上に「直接うったえるものがある」と感じました。いずれもすいていて、微妙な光の当て方の工夫がなされていたのが何よりでした。

印象派の絵では、光ファイバーなどで有名な西澤潤一氏がパリのマルモッタン美術館で水面に空が映っているモネの睡蓮の絵が上下さかさまに展示されていたのに気付いて（二度目に思い切って）それを指摘した、そのことが当地の新聞『ル・モンド』にも載った、との逸話を思い出します。同じ「光」の大家が二人、理科方面の大家が美術方面の大家の作品の前で「うーん」と鑑賞し、余人が気付かなかった本質的なことに気付いたという、題して

「両大家対面の図」

これ自体、絵になる！　と思いました。

（補足）睡蓮の葉に加えて白い雲に水草の茂み、どれが池に映ったほうか？　モネをこよなく愛する西澤氏、しばし絵を「直視」し、首をかしげ、逆向きもイメージしてみたことでしょう。

日本で代表的な東山魁夷画伯——私も大好きな——の絵画展での、生物学者、中村桂子氏の感想も引用しましょう。「京都に特有のかわら屋根が並ぶ上に静かに雪の降る様を画いた「年暮る」を見ていると、屋根の下のさまざまな生活が目に浮かぶ。翌日同じ会場を訪れて「絵から音が聞こえて来た」といいながら帰ってきた娘は、この絵に除夜の鐘を聞いたそうだ。そういえばどの絵にもリズムがある」（『生命科学者ノート』〔Nk〕１９８１年ノートから（季節感）より抜粋）

(E) 旅行　本場は外国、という分野で仕事をしようとするなら是が非でも早めに本場を体験してみる、以前これは当然の常識でした。今は「内向き指向」が強いとのこと。一体なぜ？　行って見なくてはわからないことが多々あるのですが……。まず、

　雰囲気が変わると観察力が鋭くなる。

人は環境に慣れ順化して日常生活を送っていますが、順化は「観察力は鈍化」ということ。これは日常性からの脱却によってのみ防げる。それとホームにいるときと比べ、外国生活でのほうが一日

が長く感じられます。あれやこれやの雑用やつき合いが減るからだと思います。この「鋭敏さと余裕の双方」が効いてくるのです。

以上は仕事上での話で、一般には雰囲気的に新しい空気を吸える可能性のある場所への旅行が、やはり、おすすめでしょう。まず風景（たとえば北米）でも建物（とくにモスクワ、そしてベルリン）でも、そのスケールの大きさに目が開かれます（国内なら北海道でも）。帰国して日常スケールに感覚が戻ったのちの再訪で、特に強く感じます。それが何の役に立つのか？　無意識に形成されていた「心の物差し」も「運動不足」になっていたと気付けることでしょう。ところが「世界中の絶景スポットがネット映像で見れる、だから旅行はしなくてもよい」という意見も耳にします。「リフレッシュを待望しているあなたの五感は視覚、それも平面的な視覚だけではないと思うけど……」とまずつぶやいてしまいますが、それは別として、これは「自分を変えたくはない、情報収集だけで満足」という生き方につながってしまい、旅行のもう一つの意義も生かせなくなります。それは「想定外」に接して驚き楽しんだり、困って対処するために普段使っていなかった知恵を絞って切り抜けて自信をつけたり、といった「メンタルなリフレッシュ」ができること、自分の可能性の再開拓です。この元気の源を知っている人はすべてこう言っています。

「新しい土地に行くこと、それ自体がリフレッシュである」

（F）読書

（F1）　多くの子供はある時期までは絵本を「読んだり読んでもらったり」が大好きですから、それがその後の読書好きにつながってくれれば、と思います。読書好きになるには、その子にとって面白くて「読むのを中断しがたい」本に出会うことと、読書にかなり集中できる「ある長さの時期」が必要でしょう。とにかく、若いうちに読書力をつけて「ある程度のスピード」で読めるようになっていないと、のちのち長い大作が読み切れるようにならない――一冊の本を読み続けられる環境はなかなか何カ月も続きませんから。

齋藤孝著『読書力』〔S－1〕で指摘されているように、子供向けの本から文庫本、新書本などとレベルを上げつつ良書を読み、その楽しさを生活の一部に取り込んでほしいものです。なお齋藤氏は読んだ本の冊数を基準にしておられますが、私は、好きな本は何度も繰り返して読み、その度に新しい発見があることのほうを大切にしています。言い換えると、何度も読み直す価値のある本を読みましょう、そのとき役立たなくてもいつか必ず力になってくれる、という思いです。

（F2）はじめと見分け　本をよく読む人は気楽にページを開いてどこからでも読み始められる人

（むろん、読むと決めればいずれ最初に戻るわけですが）、「読むなら最初から読まなくてはいけない」という人は、実は読みたがらない人、と私は推測をしていますがどうでしょうか。

時代を経て名作とよばれているものは、それが本物だからでしょう。ただ、年代物や外国由来の本が与える第一印象は様式上の特徴ですから慣れないうちは違和感を感じます。でも慣れてくると素晴らしさがわかってきますから最初は多少の辛抱が必要。その上で自分と波長が合うかどうかの問題。本屋さんで棚からとって（パラパラだけではなく）どこでも開いて「何ページかを丁寧に」読んでみると、著者の情熱の籠もった本格的なものか、ただ時代に乗じた薄っぺらいものかがわかります。それがわかるための基本的な条件は、すでに良いものにいろいろ接していること。良いものに接していると、そうでないものとの大きな差、たとえば描写が読者のイメージ形成に協力的か、分析が良心的で的確か、などの基準が見えてきます。（読む本の選択は容易になり、自分で書くことは実に困難に！）ですから中学高校時代がとても大切なのです。若いうちは、咀嚼力をつけるためにも古典の大作に取り組まれてはどうでしょうか。

（G）数学の源、ユークリッド幾何学　中学生位になったら、ギリシャ時代からの本物文化ユークリッド幾何学も楽しんでみては如何でしょうか。将来数学の研究を目指すつもりでない方にもお勧めです。まず、定義、定理、証明等の論理体系とその意義を学べます（ついでに3本の直線が1点で交わるというような「虫の良いことは理由なしでは期待できない」といった教訓も）。さらに直感と論理の見事な融合に快感を感じとれたら、おめでとうです。

実は、幾何が得意になれるかどうかは、問題を雑念なく落ち着いて直視できるかどうかに依存しています。「できないと困る、どうしよう」とか「どの方法を使えばよいか」と方法ばかり考えるのは雑念でしょう。フォーカスすべきは「問題そのもの」、つまり純粋な客体であって「その問題と対峙している自分」つまり「主体」ではありません。主体の気分に関係なく客体には客体の法則があるぞ、ということを「そっと」教えてくれます。そして「直視」は「ひたすらじっと、にらめっこ」でもありません。「図に注目」は第一段階ですが次に「図を自分で（必要なだけ繰り返し）描き直してみる」のが大切です。描き直しているうちに図の中身の「関係性」がくっきりとしてきます。点や線のうちでどれが最初にあたえられ、どれが自由に動かせるもので、どれは「どれとどれからどのように」定まっているのか、という順序立て。これがわかることが問題の意味がわかることであり、解けるための第一ステップです。わかるまで描き直すという辛抱強さを身につけることも基本的修行の一つかもしれません。

ぴったりな補助線が見つかれば問題があっさり解ける！　この体験も貴重で、（次の意味の）イメージ力を育ててくれます。それは背景の構造のうちで「問題を述べるためには必要なかったがそれを解くためには必要なパーツを見つける眼力」です。他人が描いたイメージばかり見て過ごしていては育たない力でしょう。

以前アメリカの研究仲間とのランチ会話で「ところで、ユークリッド幾何の勉強の中で、結果の意外性に最初に面白さを感じたのはどこだった？」について意見が一致した命題がありました。その吟味をしてみましょう。それは、円周上に相異なる2点A、Bを取りそれらを結ぶ円弧を一つ（たとえば長い方としましょう）選ぶとき「この円弧上を動く点Pに対する角ＡＰＢ（この場合鋭角）は点Pが動いても変わらない」という命題です。証明は（円の性質を利用しなくてはできるはずがないから）円の中心点Oに着目し、条件「A、B、Pがその円周上にある」を性質「ＯＡ、ＯＢ、ＯＰの長さが等しい」にまず置き換える。この性質を角度に関する問われている性質とどう結び付けるか？　まずこれらの点を結ぶ線分を引いてみて眺めよう、これがいわば「常識的な第一歩」でしょう。次に点Pを実際に動かして比較しようとするとごちゃごちゃしてしまいます。ちょっと飛躍が必要なのが面白いところ。問題の角ＡＰＢが、実は円だけで定まる角ＡＯＢ（今の場合、二直角より狭い方）のちょうど半分になるのだと気付いて驚けることでしょう。教科書ではこちらが「定理」、最初の命題はその「系」、として（単にさりげなく）与えられる場合が多いでしょうが、驚けるのはこの「系」のほうです。ですから今はこの系が証明問題として単独に与えられたとして考えているわけです。自分で気付ける場合もたまにあるでしょうが、我々が一致したのは、先人の知恵に驚きユークリッド幾何学が学問らしいと感心した最初の体験がここだった、ということでした。「ちょうど半分」の証明を思い出して楽しむ部分は読者に委ねましょう。

ユークリッド幾何学は抽象的な現代数学の基礎づけには使用されていません。しかし数学の精神を端的に「ひながた」によって学べるだけでなく、文系、理系にかかわらず重要な「主客分離の思考訓練」としても役立つことから、中等教育の格好な教材だと思います。

以上は対象そのものが客体である場合の主客分離の話でしたが、人間が対象である（いわば主体同士の間での）浮き世のさまざまな出来事に対しても、それから一歩距離を置いて自然描写のように客観的に描写しようという『枕草子』や『草枕』の精神も、合わせて味わいたいものです。たとえば、若いうちは幾何学、年齢が熟してからは文学作品の再読の楽しみとして、というのは如何でしょうか。

第2章　わからないが基底状態

態度や行動を注意され「わかったか！」と言われたりする「説教」時の話ではありません。何か、物事に関する丁寧な「説明」を読んだり直接聞いたりしている場面を想像してください。

その場合でも「わかる、わからない」の内容は様々ですが、たとえば筆者は子供の頃から、皆がわかるという事をしばしば「わからない」と感じ、こだわって考えてしまう性格でした。当時の先生方が鷹揚でとがめられる事が少なかったからこそまだ生存できています。この章は「これを読めばわかりがよくなる」ためではありません。安易にわかったと言うな、言わせるな、「本当のわかる」はもっと驚きと快感を伴い自立の道につながるものだ、まず「わからない」から出発しよう、というたった一つの基本。これを巡る話です。

(A) 基本前提　十分納得いかなくても「わかった」と思わされ言わされるのは非文化的な目に見えない「呪縛」だと思います。これから解放されないと、本当にクッキリわかることを目指すべきだという目標も見えなくなります。返答の際の言葉の使い方にも影響します。

「わかりません」と自由に言え、自力でわかったときに初めて「あ、わかった」(「わかる」は多かれ少なかれ驚きをともないます)と喜べる、こちらは精神の「解放」です。新しい対象に対して自分の頭も使うことによって精神の解放を目指す、これが文化の発祥地ギリシャ以来の精神であり、文化の基礎だと思います。その大前提を「数学の定理みたいに」掲げてみましょう。

基本前提　「わからない」がすべての基本的状況(基底状態)である。「わかる」は特殊な状況でのみ生まれ、正しかったとしても限定的意味でしかない。常に「わからない」から出発して、より納得できる「わかる」を目指し、ときどき「わからない」に戻って再出発すべきである。また質疑応答の際、真理の前ではすべての人間は平等である。ある事についてはあるメンバーが詳しく別の事では他のメンバーが詳しいなどは当たり前であり、場のリーダーがときに「わからない」と表明したらむしろ賞賛されるべきである。

これはソクラテスの精神だったはずですし、文化の基本だと思います。ソクラテスの言葉自分の知っているわずかなことといえば、それは『自分は殆ど何も知らない』ということだも有名です。いいかえれば「知らないが基本だぞ」という主張だと思います。遡って、孔子の「論語」に「これを知るをこれを知ると為し、知らざるを知らざると為せ」という言葉があるとも指摘されました。これは賢者のための道徳律で、部分的には共通するものがあると思いますが「知らないが基本」とは言っていないようです。

(B) いくつかに分けて考えましょう

（1）個人の問題、（2）学界先端での問題、（3）対話、（4）教える人と教わる人の関係の中での問題、（5）予定調和的に番組、行事を終わらせるための分かったの強要、（6）某議員さんの仰りそうな「分からなかったことを分からせその成果を社会に還元してこそ学者の価値があるのに一体何をほざくのか！」に対する仮想的答弁、（7）「分かった」という奇跡がどう起こったかの歴史にも関心を持とう。

(B1) 個人の問題　つまづきの大もとのような「わからない」があったら、それは大切に育てたほうが良い「種子」だと思えないでしょうか。そう考え、独立した生存権を与え（他人は与えてくれなくても自分で）、意識をその「わからない君」だけに向ける。

そして「ああ、わからないのは自分の頭が悪いからだ」「見たくない鏡を見せられているようなものだ」などと意識を「自分の能力」のほうに逸らしてしまわないことです。ここが最初の心理的ハードルなのかもしれません。勉強とは「対象そのものの面白さを学ぶ喜び」だと思えれば難なく越えられるし、「級友との競争」だと思うと「負けそうな自分」に意識がいってしまうからです。

とにかくこのハードルは越えたとします。それで大切な「わからない君」を客観視して分析――問題の意味が、そのここがわからない、用語がわからない、ここの「だから」がわからない、など。ノートにメモしてそれらに個別に立ち入る辛抱強さは必要でしょう。近くに早わかりする同僚がいるとたしかに気分が邪魔されますから、一人になってからでも。その分析ができれば半分は解決。では残りは？　そのノートをもとに丁寧に調べる、聞く、考えるなどで解決する場合が多いと思います。それで済まない場合は、やや先取りになりますが、好奇心と好回心を大いに発揮し、イメージづくりや質疑応答に励んでみて下さい（続く二章など）。

次に、わかったと思ってもその快感を「吟味」して「より深いもの」にする。この手間をかけたいと思うかどうか、これが「本当に学習や研究が好きかどうか」の試金石です。プレゼンテーションの際も、データを揃えて見栄えのよい図面を作る（いわば枝先の手仕事）以前に、面倒でも（一番楽しいはずのことがなぜそんなに面倒？）自分の頭を使う楽しみ（枝から一旦降りて上を見直す）も味わうのです。念のため、「吟味」とは「こうするとこうなる」だけで満足せず、では少し変えるとどうなるか、など周辺をあらためて考察してみることで、やってみると意外に楽しいものです（他人に指摘される前のほうが楽しいのは当然ですから、積極的に）。

もう一種類の「わからない」は子供っぽいもの。自分の立つ地面の「土台」に対して言葉で表現しにくい形で感じるものだと思います。大人が言うことを表面上はわかっても、「必然性まで感じ取れないとわかったと思えない、だからわかったと言わない」、年少の子供のほうがこの傾向が強いのではないでしょうか。でも重要。「子供のわからない」のほうが全身的、本格的のようです。だからますます、わからないが基底状態です。

（B2）学界先端での問題―わからないは増える　研究者なら遅かれ早かれ誰でも感じるのが、一つのことが理解できると新たに（今まで気付いていなかった）わからないことが増える、「何かが一つわかることによって、わからないことがかえって増えていく」という感覚です。これを分析するため「問題の存在はわかっていたが答えはわかっていなかった」の「わからない」、と「その問題の存在すら知らなかった」の「意識にない」を区別しましょう。「わからない」が一つ解決されるとそれが一つ減る代わりに「意識になかった」問題がそれも沢山！新たな「わからない」に仲間入りして「わからない」問題が増えるのです。たとえれば、見えていた山の頂上に登ると、今まで見えていなかった「より高い」頂が沢山見えるようなものでしょう。

たとえばＤＮＡに関して。肺炎球菌を調べていたイギリスの軍医グリフィスがあるとき、熱処理で殺した悪性の菌と生きた良性の菌の混合物から（なんと）生きた悪性の菌が生ずる?!という驚くべき現象を見つけました。その原因は、死んだ悪性の菌から「何らかの分子」が良性の菌に入り込んだ為で、それこそ生き物の根幹に関わる重要な分子であろうと認めたのです。入り込んだ可能性のあったのは（既にその半世紀も前から不思議な分子として存在が知られていた）ＤＮＡ、またはある種のタンパク質以外にはあり得なかったのです。この研究を引き継いだニューヨークのエイブリー（O. Avery）が「それはＤＮＡであろう」という事を地道で緻密な実験でほぼ実証しました。ただしなかなか認められず、ここまでは時代もゆっくり進みました。しかし焦点がそのＤＮＡの構造解明の問題にしぼられ、ワトソン、クリックが構造のみならず再製の仕組みまで解明して次の重要な問題群を表面化させたのを皮切りに、一つの問題の解決から途方もなく沢山の重要な次の問題群が現れるという時代になりました。

(B3) 対話　対象がどの種のものにせよ、自問を含めいろいろな質問を発することが根本です。この主題は第4章でも取り上げますが、まずここではギリシャ時代に遡りましょう。

ギリシャ時代　ピタゴラス、ユークリッドで代表されるギリシャの（数学を中心とした）哲学者たちは、幾何学を「土地の測量への応用」から独立した「純粋な学問体系」として確立しました。そのモットーは「フィギュアとプラットホーム」(A figure and a platform)、即ち

「図形を掲げ、命題を確立し、それを次の命題への踏み台にする」

その階段を構成すること、でした。一つ一つの段階で、説明、質疑応答、理解、納得が肝要で、これらが構築を支えるわけです。ピタゴラスに敵対していたヘラクリトスですら「質問する文化、これを彼は開発した」と認めていたそうです（"A manual of Greek Mathematics"［H－1］)。

質疑応答にはまずそれなりの相手が必要です。ピタゴラスは幾何学の体系をぜひ後世に残したかったのですが、講義をしても出席してくれる学生が現れない。それでまず一人の若者を選びまし

た。彼が一つの命題を理解しマスターしてくれたらその度に「6ペンス」（一定の額の小銭という意味）払う、だから聞いてくれと頼んでスタートし、個人的に講義し質問し合って理解を確かめ合い、6ペンス払って次に進む。うまく続いて学生も興味を持ちはじめたそんなある日ピタゴラスが「自分もお金に困っている」とささやき、ついに学生の方から逆に授業料を払ってくれるようになった、とのこと（「授業料」のことはじめ！）。なお「ピタゴラス」と書かれているのは、個人としてではなく研究代表者としてです。ユークリッドの幾何学原論なども含め、こういう苦労をして出来上がった学問体系です。この伝統「精神」はヨーロッパで受け継がれ、中世を経てルネッサンスで復活し、しかし現在は危機に曝されかけているようです。

いかなる質疑応答があったのか、まことに興味がありますが推測の域を出ません。でも数学の教師を長年やってきた筆者として思うに、生徒から質問が出ないとき教師がいつも感じるのは「これだけで全納得してしまうのは早い、なぜこういう質問をしないのか？」多分、ピタゴラスが生徒の代わりにポイントとなる「質問」をして、生徒は答えられず次回まわし、といった過程もあったかと考えられます。内容的には「極端な場合の吟味」とか「次のフィギュア」に繋がること等、いろいろあり得たでしょう。

これらは文化の歴史にとって極めて重要なステップで、文化が応用から独立する土台を与えたのでしょう。ところが、特に日本では応用に入るのを急ぎ過ぎではないでしょうか？　古来の日本の伝統は「腰をすえる」ことのはずなのに、教育ではすぐ「手先の応用」に関心が移ってしまう。関連して、新聞の多くの科学記事は「理科の話題から入り関連した社会問題で終わる」というスタイルです。これ自体はうなずけます。でも「理科」の部分の要点を「理科少年」が納得できる程度にキチンと締めないうちに急いで「社会」に入っている場合も残念ながら散見します。

（B４）現代の教える教えられるの関係　授業に関して。「わかる」は「一気に結晶が結ばれるほどの奇跡」という前提で考えたいものです。生徒に準備ができていて、教えるほうも内容の要点と生徒の状況をよく把握していて初めて奇跡がおこるのですから。生徒の準備とは

予備知識、興味、辛抱強さ

の三大要素のうち少なくも二つ備わっていること――そうなら何とかなる！　でしょうか。

生徒は、わからなかったら臆せずに質問してほしいと思います。まずはリーダー的な生徒に積極

性が求められることです。「わからない」は「イメージが描けない」とほぼ同義ですから、この話は第4章の（D3）で改めて詳しく取り上げます。

教師の立場ではどうか。生徒に安易に「わかりました」と言われるより、「ちょっと」あるいは「なんとなくわからない」という反応を示してくれるほうが勉強になり、自分の理解度も深まり、教え方の工夫もできる。ですから、わからないと言ってもらえるほうが有り難いはずです。教師の側の主な失望の原因は「わからない」と言われる（稀なケース）より、何も質問されない——でもテストをすると全然できない——こと。「こんなにわかっていないのなら、なぜ授業で質問しなかったの？」

以上は、わが日本の学校での話です。欧米では、学生が学習内容を理解するのは「自分の望むところであり授業料を払っている以上権利でもある」と思っているので、「瞬間的に」手をあげ納得いくまで質問する。日本では、残念ながら多くが親の手前、授業、試験は惰性で受けているし他人の眼ばかり気にして質問もしない、ということなのか？　個人としての自立性の違いの問題なのか、文化自体に対する意識の違いなのか、それらは関連し合っているのか。（なお、「瞬間的に」に関して3秒以内に手をあげるかどうかが日米の学生の分かれ目、という在米日本人研究者の観察を聞いたことがあります。）

（B5）予定調和的に番組、行事を終わらせるための「わかった」の強要　より広範な視聴者を対象とする放送の科学番組ではどうでしょうか。番組を「予定調和的に終わらせること」をかなり優先し過ぎているようで、その点には疑問を感じます。多くの行事でスムースな進行が最優先――夏の甲子園、合唱団の発表会、結婚式、葬儀ですら。見かけ上の整然さの重要視に加えて「次への入れ替わり」への時間的な配慮が非常に徹底しているからでしょう。他国では、日本より時間にはルーズな一方で本質的な部分ではより厳しいところも複数あります。日本では「行事としてつつがなく終わればよい」というところでも、問題があると思うとそれを少なくも優先はしないのです。尻切れとんぼになってもそれが自然なら仕方がない、と。

ここでの問題は、わかるわからないに関わることまでがその影響を受けすぎていること。これは絶対おかしい。「外見の整然さ」より「それぞれの心からの納得の内容」が大切な問題。時には番組が「わからないに固執する質問者」によって中途で終わってもよい、それを当然のように認める、それでこそ文化国家ではないかと思うことがあります。管理者の立場が強すぎではないか。ＮＨＫの「ガッテン」なども勉強になるよい番組とは思いつつ、「さあ、みんなでガッテンしましょう」的な雰囲気をつくらないでくれと心で叫んでいます。注意深い視聴者には浮かぶであろう疑問が誰からも質問されずにガッテンされたときなど、科学ってそういうものではないぞ、と。

数学の研究集会においてすらこの種の疑問を感じたことがありました。それは小規模な研究会で、テーマは「ある理論的結果の応用」。元になる理論的結果は（参加はできなかった）西欧の一流研究者によるもので、その（日本での）応用についての発表会だったのですが、それが無事？に終了して間もなく、元の結果に基本的な誤りがあったことが判明しました。研究会での討論によってではなく、それとは独立してです。したがって発表された応用の多くが「パー」だったわけです。さてその情報に接した主な参加者の一人が「無事に済んだ『後』でよかった！」と安堵の感想。

内容より行事？　本末転倒では？　と驚いたもの。主催者や講演者の立場と気持ちに寄り添えばその安堵感はわからないでもないのですが、学問はもっと厳しいもの、研究会の直前にわかって混乱する中でこそ現実直視の厳しさの洗礼も受け、様々な知性も発揮されたであろうに。私はほぼ第三者でしたが、これも「典型的に日本的」と考えさせられ、それで印象に残りました。

エラソウに言うと「小枝の上の一時的平和と繁栄」のためにお互いを思いやり過ぎると「小枝そのものの危機」と状況の本質が見えなくなることが多いのです。

（Ｂ６）基本前提は学者が社会から期待される役割と矛盾しません　まず、研究者は元来、基本前提を当然とする意識で研究していますし、それは目標を大きく、しかも長期で考えることと密接に関係しています。早くわからないといけないという意識で焦ったら「やればできそうなこと」ばかりと取り組むようになり、後々まで残る成果は出せないでしょう。タネは早く撒いても収穫には沢山の手間と時間がかかるものですから。また、「とき」がくれば仮に「待て」といわれても徹夜してでも早く仕上げたくなるのが習性になっていますからご心配は無用。なにしろ命令されたことをしているのではなく（有り難く幸せなことに）自分の全能力をかなり自由に使える仕事をできる喜びでやっているのですから。「わからない、と強く思えば思うほど」、閃きやたまたまの幸運（所謂セレンディピティ）をつかめる可能性も高まるし、逆に安易なわかり方に安住すると「誰にでもできること」しかできないでしょう。

（Ｂ７）流石メダウォー　わかるは「奇跡」ですから、わかった事実の「内容」だけを効率的に学べばこと足れり、あとはすぐ応用、ではなく「わからなかった」から「わかった」に至った「経緯」「動き自体」「その精神」「感動」を学ぼうとして欲しいと思います。それには研究の場合は何をおいても創始者によるオリジナル、古典的文献を読むことでしょう。そこには創始者の「魂」（魂という言葉はその自由さを連想させにくいので言いかえるとspirit）をも感じさせるからです。その上でなら優れた解説書、啓蒙書、歴史書を読むのも多いに結構ですが。免疫学の大家メダウォー氏（P. Medawar）は『若き科学者へ』〔M〕で以下の言葉を述べています。ちなみにこの書物は「現代でも価値の高いもの」と、かの『Nature』誌で絶賛されています。

「思想の歴史に対する無関心は文化的野蛮性のしるし、というのは正しいと思う。なぜなら思想の成長と流動に関心をもたない人はおそらく精神生活に関心をもたないからである。」

第３章　好奇心と好回心

知識、理解を深める内的な原動力として好奇心と好回心（造語）について話題にしましょう。好奇心の重要性は異口同音に強調されますが、それに加えて、より目立たない「好回心」が理系の研究でも重要であろう、この考えを説明したいと思います。

(A) 好奇心と出会い

「好奇心」はおなじみの言葉です。好奇心を持ちやすい性格とそうでない性格の相違が現実にあることは誰しも認めるでしょう。安定性、日常性、常識的行動だけにあきたらず、驚き、遊び心などを求めてやまない精神構造、傍から見ると異常なこだわりをみせるほどの……。これが基盤でしょうか。「周辺の常識指向」との闘いで生き延びるかどうかが問題ですから、好奇心とはどういうものかを論じるにはその「対立概念（常識指向など）との境界」について高いレベルで論じなくてはならないように思います。ここでは立ち入りません。とにかく、好奇心はその対象を見つけるとなるべく「直線的に」対象に向かおうとする性質のものです。ここで念頭に置くのは大人の知的好奇心（研究心）、それに対象として音楽や絵画などの芸術も加えたあたりです。また具体的対象への特定の好奇心なら、たまたまの出会い、発芽、成長または消滅、という諸段階があり、長く深く続くものだけがとりあげる意味のある好奇心でしょう。

好奇心に最もお似合いの関連語は

「出会い」

でしょう。まずは対象との出会いから始まるわけですが、同じ対象に強い関心をもつ人間同士の出会い、偶然に起こることも多いこの出会いこそ大きな意味をもつからです。たとえば、ほやほやの萌芽的分野に共通の関心をもつ先輩と後輩、このたまたまの出会いが多大な実りをもたらしたという例は枚挙にいとまがありません。ただ、必ず両者にとっての幸運をもたらすというわけでもありません。自然界の動物たちと同じく、草食系と肉食系の出会いや、よいアイディアをもつが高度な手段はもたない人と高度な武器をもち使うべき材料に飢えている人との出会い、これらでは予想される結末になってしまうことが多い……。同じ分野での出会いは昔より起こりやすいとはいえ、「偶然の出会い」が研究の発展に果たす役割は依然大きいといえるでしょう。DNAの構造決定で有名なワトソンとクリック、二人の出会いこそが大きな実りをもたらしたこと、その前にそれぞれが物理学者シュレディンガーの書いた小冊子『生命とは何か』と出会って生物学を選び、DNAに格別の関心をもち続けたこと、などが名著J. Watson "The double helix"（［W］）やワトソン・ベリー『DNA』（［WB］の上巻）に生き生きと書かれています。

（B）好回心

（B1）一方、興味をもった対象を心に秘めてその回りを、あるいはただ無意識に漫然と、いずれにせよゆっくりと回る、そういう心や対象への関心の持ち方を「好回心」とよぶことにしましょう。まず文学的観点では、好回心は夏目漱石のいう「低徊家」の精神に喩えられると思います。その話に入る前に一言。皆様は、よほどの漱石ファンでないかぎり、「低」にも「徊」にも好ましいイメージが抱けないでしょう？　でも「低」のイメージについては「上を見るには目線を低くするのも一つの賢い方法」かもしれないと思ってとりあえず我慢して下さい。デカルトは天井の蠅の動きを追って「いて」座標系のアイディアを思いついた、ニュートンは林檎と空を下から見上げて「いて」万有引力を発見をした、などの逸話（あくまでも逸話ですが）もあります（何という意味深な「いて」でしょうか！）。また「徊」はどことなく「怠け者」を連想させますね。でも、大数学者（で日本人最初のフィールズ賞受賞者）小平邦彦先生は自らを動物の「なまけもの」に喩えておられました。また人間は「何かには勤勉でその代わり何かには怠け者になる」、その「選択」によって行動の指針を選んでいる、そう考えてみて下さい。

たとえば、数学で何かの証明を知らなかったとき、Aさんはすぐ図書館に行く（今なら図書館のサイトで検索する）、一方、Bさんは「面倒だ、自分で考えてしまおう」とする。どちらがより怠け者かという問題ではないですね。考えるのが面倒で調べるのか、調べるのが面倒で考えるのか。人間は基本的には怠け者、生き延びるため余計なエネルギーは使わない基本方針が体内にセットされているわけですから、本人が楽なほうを大抵は無意識に選んでいる。またどちらがより賢明かというのでもなく両方のバランスが大切なわけです。そして好回心は「すぐ自力で証明できなくてもまだ図書館に行こうとしない、そういうBさんの心」でしょうか。これも数学の推進力の一つであることは間違いありません。なぜか。「真理は一つ」でもそれぞれの真理は沢山の「面」というか「顔」をもっていて見る角度、視点、アプローチも多様なのに大抵はときの標準的な見方、流行している方法しか頭にない、ですから自分の頭で考えることで別の視点を持てる人間には希少価値があるのだと思います。

（B2）回り道になりますが漱石の『三四郎』より引用しましょう。「三四郎は勉強家というよりむしろ低徊家なので、割合書物を読まない。その代りある掬すべき情景に逢うと、何遍もこれを頭の中で新たにして喜んでいる。その方が命に奥行があるような気がする（中略）三四郎は床の中で、この三つの世界を並べて、互に比較してみた……」三つの世界とは、故郷、大学、そして令嬢達で代表される華やかな東京市、でした。ただ、三四郎は低徊的性格とこの比較考察によってどこにも辿り着けなかったようです。考えて解決できる問題ではなかったからでしょう。説得力ある一つの説によると、三四郎は大変な美男子であった――彼を見る女性達のまなざしの強さ粘っこさの描写がそれを証明している、と。そして最高学府に入学することを得て学問を本分としてはいたが（魅力ある先生や先輩には出会えたものの）講義は外国人お雇い教授のおざなりなもので、これといった魅力ある学問分野を嗅ぎ取って引きつけられたわけではなかった。その状況で美しい女性に「謎掛け」されても「受け身」スタンスは変えられないし、いくら考えても考えることで解決できる問題ではないからどこにも行き着けない。これが三四郎の場合で、続く漱石の三部作『それから』では、やはり低徊家の主人公、こちらはエライところに行き着いたことでした。この性向を表す言葉は漱石由来ですが、理系の場合にはもっと素直にこれが生かせると思い、言葉も変えて「好回心」としました。

なおドイツ語には herumspazieren（うろうろ散歩）という素敵な言葉があり、これが「観念の散歩」にも使われるということをモーツァルトの手紙を見て知りました（[Mz] 1781.10.13．父親宛)。

(B3) 数学ではどうか。ドイツの友人から(英語で)聞いた小話。

「ある数学者が国境付近の山林をさ迷い歩いていた(漱石流にいえば低徊していた)。警官に呼び止められる。『何をしているのか?』『ある定理について考えていたんだ』『何の定理か?』『全然間違っていたんだ。なんで問題にするんだよ』(Why do you care? It was all wrong!)」

補足しましょう。その数学者は新しい定理を証明できたと喜び、でも念のためもう一度証明を考え直していた――歩きながら――外見上はうろうろしているだけ。だが、ああ全部間違いだと気付いてがっかりしていた、その状況で警官に出会った、それでこういう会話になった。数学者、国境、低徊、警官、それぞれの特徴がユーモラスに出ていて私の好きな小話です。(院生の頃、わたしも考えに没頭しながらふらふら歩いていて何回警官に職務質問されたことか――山林ならぬ「東京ジャングル」の真只中で。)

そしてこれはとても象徴的です。第一に、その数学者は机に向かっていたのではないこと。何か新しいことを考える際はしばしば低徊状態である。ちなみに本を読む時とかパソコンの画面を見るとき両目は内側に焦点を合わせていますが、ちょっとやってみて下さい。

「エ――ト、どうだろう……?」

と考えるときの両目は上向きで外向き、になっていませんか。そう、逆なのです。本などはいったん伏せて考えたいわけです。外見上うわのそらですが、それは本人が「文字通りうわのそら」だからです。環境の中で物理的に見えるものを遮断するという意味もあります。

第二に「国境」を「既知と未知の境界」に置き換えて考えると、外面的徘徊と（好回心による）内面的低徊とが相呼応していることに納得がいくでしょう。そうです。

わかるわからないの境を心でうろうろするのが好き

というのが好回心です。正確には「学界での客観的な意味での既知と未知の境界」というべきで、「各個人にとっての未知」とは異なりますが、主観的な既知、未知の境界ということでなら三四郎にも『草枕』の主人公にも当てはまるでしょう。「数学は心の入り口でやるもの」多変数関数論の開拓者、岡潔先生の言葉も思い出します。念のため、徘徊しながら考えるのが重要といっても、それはあくまでも一つの段階。それによって気付いた事は、改めて机に向かって確認しながら「集中目線」と手も使って進めなくてはなりません。

好回心は昼間なら散歩中、夜間なら床の中で目覚めている時間に発現しやすいようです。筆者も二十代後半にですが、プリンストンのＩＡＳ研究所の裏の森やその奥の川沿いの小道を考えながら随分歩き回わり、考えを転換したり進めたりにそれが役に立ったことでした。「そうだ、早く戻ってここを計算しよう」と急いで帰ったりしました。一方、日本の都会では長い路地が（車が通らないので）適していました。夜中に目覚め考えの転換可能性に気付いたこともよくありました（第12章参照）。その際の必需品は、（当時はそうでしたし、現代でも）外部情報依存型のスマホではなく、備忘用のメモ用紙と鉛筆だと思います。

体の不調でやむを得ず横たわっていなくてはならなかったとき、という例も沢山あります。比較的最近、私に身近な整数論のある重要な予想の証明に成功したイギリスの数学者ブラウン君（Francis Brown）の場合もその一例。以下は彼に書いてもらった記述の和訳です。

「私は森でジョッギング中に足首を捻挫した結果、歩けなくなり余儀なく長いことソファーに横たわっていました。目指していた定理の証明も挫折してあきらめかけていました。でも自分の研究ノート以外に読める物がありません。痛くてあれこれ取りに行けないのです。それで何時間もかけて、計算中だった大サイズの行列をただ眺めていまして、ついにその複雑さの背後にある一つのパターンに気付きました。土曜日、いつもなら買い物当番の日でこの時は妻が代わってくれたのですが、もし足を痛めておらずいつもの通りだったらどうだったでしょうか。それやこれやでこの問題の解決をあきらめていたかどうか、わかりません」

この例でも示されているように、意識的な努力（いわば「努力的」な努力）だけでは容易に気付けない極めて重要なことがあります。折角すぐ近くに来ていても見えてはいない。「気付く」ということには別種の難しさがあるからです。そういうときにかなり役立つのが好回心、そしてそれが発揮しやすいのは、どうやら怠けているときや怠けざるを得ないときのようですね。

これを、少なくも頭からは否定しないで下さい。昼の活動のあとの睡眠が大切なのと基本的には同じです。意識活動は、それより実は遥かに強力な無意識活動に安心して次を託せということ。安心して託す、怠けなくては無意識活動が自分の出番だと気付かないでしょう。この話は第12、13、15章に続きます。

ここで「徘徊注意」に関する余談を一つ。筆者は上記プリンストンの森での徘徊中、身の毛がよだつ経験もしました。ここでの相手は、警官ではなく突然現れて我を取り囲んだ二頭の大型犬でした。息も荒げに身構え、包囲を解いてくれません。他に人っ子一人いない、微かな動きですら飛びかかるきっかけを与えかねない、一触即発！　結局どうして無事に済んだか思い出せませんがこれには懲り懲り、後にプリンストンに赴く後輩達に真っ先に注意事項として伝授していました。個人の宅地に紛れ込んでいたのでしょうか。アメリカの郊外では宅地の境界がはっきりしていませんから徘徊の際には「国境以上に」気をつけなくては、という一幕でした。

（B4）文学の場合、どのみちくっきりしたわかり方は「ない」とわかっているから、是非わからなくてはという好奇心よりもどちらともつかない微妙な色合いや浮世から距離をおいての低徊自体を楽しむほうに比重があるのでしょうか。『草枕』は元々そういう趣きでしたね。

理系の場合は、わかるときはクリアにわかり一気に展望が開ける快感を知っているから、同じ好奇心でもいわば「指向性のある」好奇心が強く、ひたすら「わかる」を求めて「歩く」のです。さて好奇心によって「目指す森」に近づきはしますが、いざ森に入ってからは目指していた光源のようなものはもはや見えなくなり、あとはいわば手探りです。ここからが「好回心の出番」といえるでしょうか。ここで「歩く」は「思考上の歩み」です。でもどちらに進めばよいかは定かでない。わかるわからないの境をうろうろしながら、少ない手がかり、遠くからの光、色、音、匂いを感じて、それぞれ経験、習性、個性、能力によってさ迷い方はさまざま。さきほどのジョーク、数学者の「証明が間違っていた」は単なる堂々めぐりに気付いた、ということです。高いところから鳥が見ていたらさぞもどかしく思うでしょう。でもわかってみれば簡単でも、はじめからはわからないのが常です。

なお、思考の中で「歩く」のと物理的に歩くのとはむろん区別しないといけません。考えが一気に進んでハッとしたら……そう、足は止まる。そうでないときはやたらに歩き回る、などという具合で、同一歩調ではありません。足は、無意識のうちに歩き回って血液の循環を良くし脳の働きを助けているかのようです。思考経路が不定な間はとにかく歩き回る、焦点が合ってきたら止まる、メモして早く帰って机に向かう、などなど。

ちなみにテレビなどで取材を受ける学者は大抵は研究室で「パソコンを前にして」いますが、果たしてこれは正しいイメージでしょうか。「発見したときパソコンからどのくらいの距離の場所にいましたか？」を問うアンケート調査をしたらどういう結果が出るでしょうか。

第4章　イメージづくりと質疑応答

(A) 日本語に「イメージ」に相当する適当な言葉が見当たらないのは残念です。「心象」もありますが流布している「イメージ」を使いましょう。

(A1) イメージする楽しみ　ある対象に強い関心、興味をもったとき

「自分の心の中にそのための居場所をつくりたい」と願うのではないでしょうか。「もっとわかりたい」というのと殆ど同義ですが、「わからないといけない」とか「しっかり受け止めなくては」という受け身の気分とは異なり、こちらはより積極的で楽しい心の動きをあらわしているでしょう。むろん「対象そのもの」は複雑すぎて人の心のなかにいかなる意味でも移植などできないしその必要もない。それで、その対象の「主な特徴」を自分の理性と感性でしっかり見定め、自分の方法で要約したりスケッチしたりし、それによって抽出されたもの＝自分のつくったイメージ、に対して自分のなかでの居場所をつくるということになりま

す。だから対象は一つでも、その人の個性とその「とき」によってイメージはいろいろになります。大切なのは、それだけをもとにしてその対象の概略とおもな特徴を自分で再現できることです。このイメージづくり——ときに「イメージング」と略称しますが——は文化の基礎でしょう。

「他の類似物との相違がくっきりすること」

これが基本です。

(A2) イメージを持つことの長所と欠点　イメージとして取り込むことは主体と客体を混合することですから、プラスとマイナスの両面があるわけです。プラス面は、自分の中でそれを育てることができ逆に自身もそれによって育てられること、マイナス面は、主客の区別ができなくなり「客体」の本当の姿とは異なるイメージに取り付かれたままになる心配があることでしょう。質疑応答とセットにしている所以です。

(A3) 種類の限定　イメージといっても漠然としていますから、以後は次の条件を満たすものを中心に考えることにします。

（1）対象は、構造すなわち部分（パーツ）とその間の結びつきをもっていて、イメージはその主要部をなるべく鮮明に表現するもの ↓ クッキリ性
（2）自分自身でつくるイメージ ↓ 手づくり
（3）自問を含む質疑応答によって随時、修正されること ↓ 修正許容性

この三つがキーワードです。それぞれの説明に入りましょう。

（1）クッキリ性　たとえば和歌や印象派の絵画はこれを満たさないので、ここでは除外しましょう——分析しては良さが消えてしまいます。強調したいのは、現代のさらに巨大な流派である「フォーカス派」、つまり一つの対象に焦点を当ててそこだけを目立たせる派——この派の映像も除外するということ。全体構造を俯瞰せず一部のみを強調していますから。

たとえば台風報道関連の映像に二通りあることを思い起こして下さい。一つは（あるときある場所での）荒れる海や大きくゆれる木々などの映像（いわば「フォーカス印象派」）、もう一つは地図の上に進路、予想進路と中心気圧、規模、速度などの基本データがしっかり簡潔に示されている図。この後者が接近台風の（1）の意味でのイメージです。前者によって視聴者は恐ろしさは感じ

ますが、具体的備えは後者がなくてはできません。なお「前者のために後者をすぐ画面から消さないで下さい」と訴えた声が届いたのか（ＮＨＫなどで）フォーカス映像の一部に予想進路の図も併せて表示されるようになり、助かっています。

授業、たとえば大学の文系の大教室などでは先生が黒板一杯に、チョークで丸く囲んだ数個の抽象的な言葉を何本かの線で結んだ図を描いて概念や学説などを説明します。（１）の典型でしょう。卑近な例では、ドラマの構造を点（登場人物）と線（関係性）で結んで示す「ドラマの人物相関図」。点の個数の割に線が豊富にある「緊密な構造を持つ」場合が様々な展開を内包した面白い場合といえるでしょう。

(2) 手づくり　これが極めて重要。現代は他者によって作られたイメージに溢れています。試しにインターネットで「○○イメージ」と検索してみて下さい。○○関連の他人が作ったイメージがワンサと出てきます。では自力でイメージを作る意欲や能力は、他人の作った優れたイメージを沢山見ることによって一般に高まるのか、あるいは年齢などによっては危険性もあるのか。むろん程度問題でしょうが、子供や若者の環境を大人が考える際の重要課題の一つでしょう。

これについては、齋藤孝著の『読書力』（［Ｓ－１］）に述べられている以下の警告に目を見開かされました。

「最近は、アニメ映画の優れた作品が数多く生み出されている。これは、文化としては非常に高度な技術が駆使されたものである。作品としての出来もいい。しかし、惜しむらくは、作品を作る側の想像力があまりにも発揮されてしまっていて、見る子どもの方が、その想像力を享受するだけでお腹いっぱいになってしまうということだ。

本のように言葉しか手がかりがなければ、色から絵柄、そして登場人物の声質まで、すべて読者側が想像することになる。よく本やマンガで知っているキャラクターがテレビのアニメになったときに、「声が違う」と感じることがある。これは想像上で自分の声を何となくつくり上げて読んでいるということだ。実際の声優の声がイメージとずれていると感じる力は、イメージ化能力があることを示している。初めからアニメ作品として出会ってしまうと、その「ズレ」を感じることはできにくくなる。

作り手側の想像力が駆使された映像作品は、作品としての完成度が高まれば高まるほど、子どもの想像力を鍛えるトレーニングメニューにはなりにくい。アニメ作品に慣れきった人たちの中に、本をほとんど読まない人も多い。言葉だけからさまざまなイメージをつくり出すことのできる、このイメージ化能力は、優れた映像作品が溢れている現代において、むしろ弱まる傾向にあるのではないだろうか。」（［S―1］Ⅱ―2より引用（原文のまま））

（3）修正許容性　自問を含む質疑応答によって随時修正され広げられているもの。固定観念は除外です。自問、質疑応答によってイメージできなかったところも補いましょう。

イメージをつくろうとする ⇓ できない ⇓ 何か基礎的な区別がわからないためと気付く ⇓ 区別に関わる質問（または自問）をする ⇓ 必要な区別がわかる ⇓ 一応のイメージができる ⇓ さらに興味がわいて他の人にもそれを説明したくなる ⇓ 質問されることでもっと掘り下げたくなる。

質疑応答はギリシャ時代以来の西洋文化の基本でした（"A figure and a platform" 第２章）。後の（D３）では話を現代の日本に移して質疑応答のうちの初期段階である「講義のなかでのそれ」に焦点をあて、章の最後（F）はワトソンとクリックの高度な例で締めくくります。

（A４）対象分野　イメージというと視覚的なものを指す場合が多いですが、音楽のように聴覚的な場合も、その曲の特徴を掴んでくっきり自分の方法で部分再現できるのであれば、「イメージ」

に含めましょう。また数学での抽象的対象も含めます。数学の対象はその構造のみによって規定されていますから。

「周辺部」の数章で具体例をいくつか取り上げ、数学と音楽については「夜想部」で更に掘り下げてみます。

（B）イメージの次元

（B1）イメージングの進化、熟成の度合を表すのにイメージの「次元」というものを想定してみましょう。第1章冒頭の段階分けと相関関係は大いにありますが、概念として別のものです。

まずは対象に関わる数個の「言葉」だけ（ばらばらに）知っている、というのがいわば「点理解」または「0次元のイメージ」。ちなみに普通のアンケートは「対象を0次元化して解答を求める」という文化的弊害があると思います。例えば「中国は好きか嫌いか？」など。統計の取り易さ優先で選ばれた手法の濫用。質問の曖昧さの吟味が甘いほど、結果の数値は出しやすくなり出る数値だけは細かくなる。これ自体「大いなる矛盾」ですから、大多数の数学者が是としない「統計学的手法」です。

次に、好奇心は「もっと知りたい」という強い方向性を表す「矢印」のようなものですから、好奇心自体が1次元的な心の動き、といえるでしょう。一方「好回心」も、その「点」の回りを（自分の心の中で）のんびりでよいから回ってみたいという心ですから、「回転」ですが、やはり1次元のイメージ。それらが合わさって作用すると心の中に何となく2次元の画像が画けてきます。そう、筆で絵を描くのも1次元の動きのつながりです。でも、まだそれはぼんやりしていて輪郭がくっきりしない、不安定、消えそう……。ですからさらに好奇心と好回心によって（空間的にも）揺らしてみてイメージを膨らませ、そこからなにか安定したものを得られれば次の「面から空間へ」の段階、いわば3次元に達したといえましょう。

こうした作業によってこそ似て非なるもろもろの他の対象と比べることができ、境界線が所々で見え、輪郭がだんだん描けてくるのです。講演を聞いたら

「質問してゆらしてみなくてはいけない」

と京都大学数理解析研究所の嘗ての同僚、齋藤恭司さんもよく言っておられました。同感、そして印象的な警句です。ちなみに数学的な議論を論理的にフォローできただけというのは、いわば山が見えずに山道の繋がりを辿れただけですから、これは3次元ではなく、1次元のクネクネということになります。ですから『本来の境界は見えていない』。山道の落ちてはいけない左右だけしか見ていなかったことに相当しましょう。多次元的にイメージできるということは、そのものの美しさ

を感じることを味方にできることでもあります。

最後に、イメージが4次元（以上）とは一体どういう場合か。たとえば対象の空間的な構造が時間と共に変化する場合です。その場合、描くべきイメージは通常の空間に時間軸も加えた「4次元空間」の中にその境界を描かなくてはならないことになります。それを視覚化する方法とかそれに慣れる手順など技術的課題もありますが、それ以前に、「その構造は時間軸も加えた高次元空間の中のものである」ということを「しっかり心に刻むこと」が最初の重要課題だと思います。数物系のみならず、生物進化論、歴史学、社会学などで扱う諸構造も多くは（あるいは大部分が）時間の関数です。そのうちの一つに第7章で触れてみます。

（B2）ダーウィン　最近、ダーウィンのビーグル号航海記を読んで「イメージの次元」にピッタリの文章が見つかりました。

「白紙だった世界地図はこの体験によって変化に富んだ動画になり、その各部分が「真の次元」を持つに至った。実際の大陸は島ではない。実際の島は斑点ではない――ヨーロッパの多くの帝国より広かったのだ。「アフリカ」「南北アメリカ」など、それぞれ名前としては心地よく聞こえ、軽く発音もできてしまう。でもその極く一部の沿岸沿いの航海にも何週間もかかるという体験をしてみないうちは、一個のヒトの小ささが実感出来ないであろう。」（チャールズ・ダーウィン『ビーグル号航海日誌』最後のまとめの部分［D］（:ii）p.445, Sept. 1836より）

何といってもよりインパクトの強い原文も引用しておきましょう。

The map of the world ceases to be a blank; it becomes a picture full of the most varied and animated figures. Each part assumes its true dimensions; large continents are not looked at in the light of islands, or islands considered as mere specks, which in truth are larger than many kingdoms of Europe. ——Africa, or North & South America, are well-sounding names and easily pronounced, but it is not till having sailed for some weeks along small portions of their coasts, that one is thorough ash,…

(C) 手始めに

(C1)「イメージ力」を「徐々に」強化する、言いかえると客体を自分の主観の中に「必要最小限の正確さで」取り入れる練習も大切です。

いろいろな場所の略図を自分で、まずは何も見ないで描いてみることから始めてはいかがでしょう。自宅と最寄り駅の関係の略図なら苦もなくできるでしょうが、それに東西南北を正しく入れられるかどうかとなると別問題ですね。さらに日本地図のスケッチとなると、やってみると結構不明なところがあるのではないでしょうか。（筆者は日本列島の細過ぎも太過ぎもしないあの奇麗な姿がなかなか上手く描けません。半島や岬が込み入ったあたりが広がってしまい勝ちで。）

好きな人やかわいい人、たとえば子供の顔のイメージスケッチは？　この場合、大切なのは「魅かれる特徴」。そこをぜひ表現したいわけですから、何度も描き直し「より満足のできる」スケッチができ、心の中に住める場所ができれば技術の向上にも結びつくはず。写真やビデオを撮るだけとは自分の心の中への入り具合が違うと思います。

好きな曲を具体的に再現するあなたの方法は？　心で歌う、鼻歌で、声に出して、カラオケで、口笛、音階をドレミで書く、コードも、楽譜を書く、あなたの楽器で演奏、踊りも入れて、重唱で、等々。

読んで面白かった本の中身を思い出す、要点と特に面白い場面などを短かめに人に話してみる、書いてみる、小説なら登場人物のイメージ画を描いてみる。

旅行に出かける前はいろいろな場面をイメージしながら何が必要かを考えるのとそうでないのとで準備の過不足に大きな違いが出ることもご体験ずみだと思います。

こういう、受け身でないことをやってみると楽しいはず。とにかく考える力を強化したかったら、その基盤たるあなたのキャンバスを他人に塗りつぶされないよう「自分の絵を描くために」大切に使いましょう。

（C2）そして、好ましいイメージを

「自分の過去の記憶のエッセンスをたよりに『心に』再生させてくれるもの」は、実は「良い文章」であり、それらはイメージングを楽しむ従来の読書文化の基本的な支えでした。その例を一つだけとりあげます。対象は富士山で著者は外国人というところが「ひとの心の普遍性」を示しているようで筆者は感動しました。明治時代のイギリスからの外交官夫人が、ひとと き離れていた日本に船で戻って来たある朝の描写です。キャサリン・サンソム著、大久保美春の名訳（日本愛に加えてユーモアとウィット溢れる『東京に暮す』［Sa］第１章の冒頭です）。

「その時、日本の美しい海岸線が船窓に見えてきたのです。私は下に降りる前にどうしても富士山りません。

が見たくなり、向きを変えて上にあがりました。見えました。東京湾のかなたに、きらきらと輝く朝日を浴びて富士山が立っていました。私は富士山を「空高く聳え立つ巨人」などと呼ぶ気にはなりません。

富士山は不思議なくらい軽やかで、まるで天から垂れ下がっているようだからです。それでつい見すごしてしまうのです。あるはずの方向に眼をやっても見つからないのです。探しながら眼を上げていくと、ほら、ありました。あの有名な頂きは私たちが考えているよりはずっと高い、層雲の上の方にあるのです。富士山には氷で覆われた他の高い連峰が持つ男性的な雄大さはありません。富士山はむしろ夢であり、詩であり、インスピレーションです。久しぶりに見た瞬間、心臓が止まってしまいました。それほど美しいのです。富士山が日本人の想像力と美的感受性に強い影響をあたえている理由がよくわかります。」

これに限らず、筆者にとって親しみやすいのは読むにつれて自然にイメージが湧いてくる本、少なくも「読者とのイメージ共有」への著者の熱意が伝わってきて、読みながらイメージ形成をしていこうとする意欲が削がれない本です。専門書では後者でしょうか。

（D）質問の重要性　何かを理解するとはイメージできること。そのためには、しばしば質問、まずは第一段階での質問が必要です。この簡単な例から始めましょう。

（D1）「立って鏡に向かうと映った像では左右が逆になるのは、なぜ？」という問いを聞いたことがおありでしょうか。どう答えられましたか。新聞記事でみるとどうも混乱しているようです。なぜ混乱するのか。問い返さないから、が第一歩と思います。

「逆って、何と比べてですか？」

これがはっきりしないと考える基盤ができません（（E）に続く）。

（D2）合唱団でモーツァルトのレクイエム（鎮魂ミサ曲）に初参加したときのこと。第2曲はDies irae「怒りの日」という激しい曲です。「この怒りって誰の誰に対する怒りでしたっけ、コーラスはどういう立場ですか？」と近くの団員に尋ねましたがビックリされ「考えたこともなかった、指揮者に聞いてみたら？」。むろん成熟した合唱団ではこういうことはないでしょうし、キリスト教信者の方なら「神の怒りを怖れて歌うのだ」と教えてくれたでしょう。不思議に思ったのは、そういう基本的なことに多くの人が関心を持っていないようだったこと。それがイメージできなくて何を歌うの？　この場合に限れば日本の伝統文化でなかったからかもしれませんが、考えさせられました。これでは「点理解」にすぎません。

（D3）講義を聞いていて　生徒として講義を聞く際、日本の生徒はどうもイメージ作成意欲に欠けているのか、教室での突っこんだ質問があまりにも少ないといわれています。私も欧米と比べてそうだと思いました。なぜ少ないのでしょうか？　根元的な問題は第13章（A）で論じることにして、ここでは具体的、臨床的な観点で検討します。多分、理由の一つは、先生が言われたことをノートにとるので精一杯で、

「イメージできること即ち『わかる』こと」であり、

ここのポイントの違いがわからないからイメージできない、

だからもっとそこを説明して欲しいと不満に思う、

という強い心が、何か、足りないのでしょうか。もう一つは、目立ちたくない、うっかりした質問をして先生に叱られたり嫌われたり仲間の前で恥をかくのが怖い、からでしょうか。質問を嫌う先生も困りますが、筆者は

生徒側、とくに優秀な（はずの）生徒たち、にもその責任がある

ように思えます。なぜかというと、そういう生徒が内容のイメージ把握を試みてそのために必要な質問をすることはクラス一同にとってよい刺激になり、自分もイメージしてみようと思うきっかけになるからです。先生にとってもよい助けになるはずです。「自分に分からないことは多分他の仲間にも分からないのだろうから、自分が代表して質問してみよう」という気概をもって、ドキドキしても質問をしてほしい。私自身は徐々にそう自負するようになって、小、中、高、大学そしてその後も他の方が質問しそうもない場合には度々「先生！」と手をあげて質問をしていました。自分の勘違いの場合もあり随分恥もかきました。その一方、他の全ての生徒、聴衆が分かっていたのではないから何らかの役に立ったのではないかと思っています。

一方、先生が質問を根本的に嫌うとしたら、それには二つの理由が考えられます。一つは講義の進行を妨げるから。つまらない質問を繰り返される場合がこれにあたります。もう一つは先生がすぐ答えられないと生徒にばかにされて尊敬を失い以後の教育に支障が生じるとの怖れ。これは自信のない先生に多いわけでその点は仕方ないのですが、もう一点大切なことがあります。

すぐ答えられないと先生を馬鹿にするのは、実は生徒が間違っている。

このことを生徒、とくに優秀な部類の生徒が心得ていないといけません。教材を含め、ものごとは「分かっていないこと」のほうが多いのです。分かっていないというのは、学問上まだ分かっていない、定説がない、というのもあるし、先生がいくら勉強家でも、あらゆる角度から理解して講義の際に細部まで記憶しているという理想的状況は、望むべくもないし必要もない。

「好い質問ですね、次回までに調べておきましょう」で次回までにちゃんと調べればよいのです。漱石の『坊ちゃん』で「俺がそう答えたら『出来ん、出来ん』と囃された」という話が思い出されます。学問上まだ分かっていないとか定説がない事柄について、指導要領はそういう「不定性」が教材で表面化することをどうも避けたがっているように思います。「何でも『これ』と一つに決まっていなくては教えにくいし入試対策で困る」という先生達の立場もあり、これは入試の手法の弊害ともいえます。そもそも知識とはそういう不定性だらけのものである、ということを教える、それも重要だと思うのですが。

（D4）少し先の段階、大学の研究室での話として、私自身も生徒側からの質問の少なさに失望したりしていましたが、分子生物学の大家の永田和宏氏による學士會会報記事の強烈さは印象的でした。（「知の体力」と「問う力」『學士會会報』９４０（２０２０の１））。氏曰く、

「私が京都大学の教員だった頃、私の研究室では月に一度、ラボ・ミーティングでデータ発表をし

ていました。当時は若かったせいか、人が発表するデータに対して学生から質問が出ないと、私は激高して研究室を飛び出していました。『自分もこのデータを使うかもしれない』と思えば、質問がないということは、あり得ないからです。」

（D5）建築物の場合（薬師寺東塔）　文化遺産的価値をもつ建築物（のイメージング）の場合、「質疑に応答」してもらえる機会といえば大規模な改修工事のときでしょう。第1章（C）でふれた薬師寺東塔は十年間の大修理が終わり2021年3月から再び一般公開されました。工事を担当された薬師寺の僧侶である松久保伽秀執事による「薬師寺東塔大修理　十年の軌跡」『學士會会報』946（2021の1）には（その宗教的由来、歴史などの明快な説明に加えて）解体に伴って新たに判明した事実をふくむ様々な特徴が綴られており、筆者には目から鱗でした。その中から構造の特徴の雰囲気を味わえる数行を引用します。

外側柱が梃（テコ）の原理によって、三重全体の重さと二重屋根の重さのバランスをとっているのです。上層の重さで下層の軒先の重さを支える構造を考案したのは日本人です。中国や朝鮮にはありません。つまりこれこそ和建築の神髄なのです。

薬師寺東塔

なお、軒の深さ（とそれに伴う屋根の外側の重さ）は日本の多雨性に対応したものであり、ときに大改修が必要になる所以（の一つ）でもあるそうです。また、一般にあまり理解されていないこととして、中心にある「心柱」（お釈迦様の卒塔婆に相当し、それを風雨から守るために屋根や壁をとりつけたものが日本のこの種の塔）は構造的には塔と独立でどちらも他方を支えてはいないこと、そして先端の相輪は（心柱によってではなく）塔の構造に支えられていること、が指摘されています。これらの内部構造を念頭に置き、あらためて美しいこの姿を鑑賞しましょう。

（E）見えないもののイメージ　後にも述べますが、見えなかったものをイメージできる、というのは有用な能力です。ここではその練習として先ほどの鏡の問題に戻りましょう。「何と比べてか」の「何」が「他人が正面から見た自分の像」だったとして答えを考えましょう。その「他人」は鏡の向こうに立って（鏡はなかったとして）こちらの自分を見ているとしてよいわけです。だから、全体を（鏡の中心の位置の垂直な軸のまわりを）ゆっくり１８０度回転させながらその間に何が変わらないかに気をつければ、その「何」は次と同じ、と分かるでしょう。

（鏡がなかったと思い）鏡の位置の向こう側に自分（の抜け殻）が立ったまま位置を移動して、立ったままこちらに向きを変え、それをもとの位置の白分が見る像。

次に、ここで鏡の位置を「限りなく近づけても状況は変わらない」ことをイメージで納得すれば、もとの問（D1）は、

「立ったままで体の軸のまわりを１８０度回転すると左右が逆になるのはなぜか」

という、もはや当たり前のことに帰着します。ポイントは三つ：問題での比較の対象の明確化、

（垂直軸のまわりの）全体の180度回転、および鏡との距離を0に近づけること、これらのいずれによっても状況が変わらないこと。

ちなみに、向きを変える主な方法が「逆立ちをする」世界だったらどういう「逆」になるかご想像ください。フィギュアスケートでの回転でなく鉄棒での回転の世界なら……。

（F）高度な質疑応答――ワトソンとクリックの例　一般的にいえば、そもそもイメージングは自由な反面とても「あぶない」もの。誰でも間違ったイメージにとらわれることがあり得るし、その場合厄介です。ここではDNAの構造解明に決定的な貢献をして分子生物学の基礎を築いたこの二人の話を双方の自伝から引用しましょう。若かりし二人はイギリス、ケンブリッジのキャベンディッシュ研究所で知りあい、意気投合してDNAの構造解明に乗り出しました。それがクリックの『What Mad Pursuit』［Cr］6章に具体的に生き生きと書かれています。

「他にも我々にとって良かったこと、それは、実りをもたらしてくれる共同研究のやり方を二人の間で暗黙のうちに編み出すことができたことでした。一方があるアイディアを思いついて話す、他方はそれをまず真剣に受けとった上で論破しようと試みる、率直に、でも敵対的雰囲気ではなくこれが鍵でした。この種の科学の問題に取り組むときに間違った考えに取りつかれずにすむというのは殆ど不可能です。つまらない問題でない限り、それは多くの推理の積み重ねを必要とし、一つでも前提の仮定を間違えると間違った路線に迷いこみ、そのことに一人では気がつきにくい。だから間違いの罠から救い出してくれる批判的な意見が、是非、必要なのです。」（ｐ70抄訳）

我々に参考になると思われる関連事項を、かいつまんで追加します。まず、二人は出会ったときから、強い思い「生命の仕組みの理解の根本はＤＮＡの構造の理解にある」を共有しており、それから眼を離さなかったこと。正確には、どちらも「その研究に専念できる立場」にはなく、時によってそれぞれに思いの強さに波はあった、でも少なくもどちらか一方は眼を離していなかった——というのが実情でした。そしてお互いの間の「知的な批判の有用性」にも早くから気付いており、議論できる場所と時間がたっぷりあったこと。オフィスに関しては「あの二人の議論はうるさくてかなわんから一つの部屋に押し込もう！」で二人専用の部屋をせしめたし、近くに散歩の場所も多いし、夕食も腹ぺこのワトソン（独身）がしばしばクリック夫妻のアパートにやってきて……。また二人とも公的にこの研究をさせてもらっていたのではなく、逆に言えば達成へのプレッシャーは所内ではあまりなく、いわば集中できる時期と一時離れる時期が「交互に」あったことも良かった、と特記されています。最終段階はカリフォルニアにいるライナス・ポーリングとの競争意識による集中で「一気に」でしたが。たとえばどういう対話があったか、引用しましょう（W：ワトソン、C：クリック）。

W：「DNAのリン酸軸は中心部にありそうだから、そういうモデルを作ってみよう」
C：（その根拠は弱いと思う理由を丁寧に説明し）
「なぜそれが外側にあるモデルを作って見ないのか？」
W：「だってそんなものはやさしく沢山できてしまって、これというものが選べない」
C：「まだ一つもモデルがないのだからやさしくできるなら、まず一つ作ったら？」

その結果リン酸軸が外側のモデルを作ろうとした。それだからこそ二重螺旋の内側で接し合うべき4種の塩基A、T、C、Gのそれぞれの特徴の相異を考えなくてはならなくなり、AとT、CとGが対をなすべきことを後にワトソンがシャルガフの法則を思い出しながら気付いたのでした。今度はワトソンの自叙伝［W］第26〜27節から。

「翌朝まだ人気のない研究室に戻り、机の上から論文などを払って広いスペースを作り、塩基対の水素結合について机上でできることを試していて、突然「ＡＴ対とＣＧ対は水素結合で結ばれると同一の形をとるべきこと」に気付いた。クリックが来てすぐ、これだ！　と同意した。一緒にランチを食べながら

「こんなにも美しい構造は存在するに決まってるよな」

と語り合ったことでした。

“We had lunch, telling each other that a structure this pretty just had to exist”.

二人が出会ってわずか1年半後の１９５３年春でした。

周辺部

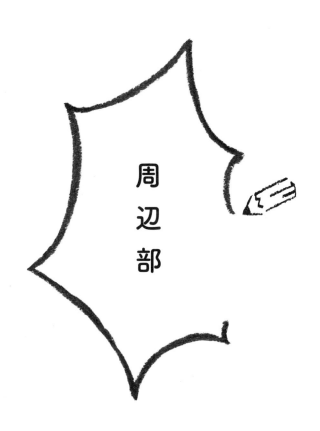

第5章　メディアが必要な区別をしないとき日本語は怖い

コアラの味覚は苦みの種類に対して特に敏感だそうです。なぜか。苦みはふつう毒性の表れなので他の動物は、苦いものは「これは苦い！」と一括りに感じてとにかく避けようとする。でもコアラの場合、主食のユーカリも苦いのでその苦さと毒物の苦さとの微妙な相異を正確に区別する必要があるからだそうです。生存のために必要なものと有害なものとが「一見似ている」場合は特に敏感でなくてはならないということでしょう。

(A) 無冠詞は定冠詞？　日本語として同一の単語で表され、でも注意深く区別しないと危ないものは何でしょうか。思えば続々と出てきますが、ここで注目したい一つが英語の「ア(a)」や「ザ(the)」のような冠詞がないための混同。同じく「何々」と表されても、それが、

暗黙の共通認識で特定化されたものを指す「ザ」なのか

ある一つの、を指す「ア」なのか

すべての同類を指すのか

によって意味が違うことは誰でも知っています。日常会話で冠詞がないことを不自由に思うことは殆どありませんが、ニュースや科学番組となると話は違うということをここで強調したいと思います。

身近でもなく具体性も感じにくい言葉に対して我々は「無冠詞使用に慣れ過ぎ」ており、その結果、一括りされた単一の「ザ」のように感じてしまいがちになる、それが怖いのです。「ザ」だと思ってしまうと最初に見える特徴しか見えなくなるでしょう。具体例をいくつか挙げましょう。どれもコアラにとっての「ユーカリか毒物か」の如き直接の深刻さは感じません。しかし集団の意志決定に関わるとなるとおよぼされる影響が深刻になり得ると危惧しています。

よくあるアンケート「憲法改正に賛成か反対か」。この問いでは「憲法改正」が無冠詞で問われているためその意味合いには基本的曖昧さ、

すべての？　特定の？　そうなら、どの？

があり、対する答えにも基本的な誤差が生じます。たとえば、

「『どんな憲法改正にも反対』という立場はとらずに広く検討の余地を残したい」と考える人の

「賛成」
と、改正案の方向性が見えている状態での
「その方向の改正案に賛成か反対か」に対する「賛成」の二つは全く異なる意見です。それでもアンケートの結果発表では前者も後者の側にひっくるめて数えられ、それが世論の動向として報じられる。筆者はかねがね強く疑問に感じていますが、ときどきの政治的意見とは独立したこういう普遍的で当たり前のことの指摘がオピニオンリーダーの方々から何故あまり聞こえてこないのでしょうか（以上、２０２１年憲法記念日に原稿改修）。

結局、無冠詞の「改正」というプラス・イメージの甘いカプセルの中に（苦いかもしれない）「ア改正」が包まれて提供されている、とも喩えられるでしょう。こういう曖昧さを国民に分析させず、逆に利用して世論を上手くなびかせる――これこそ政治の主な手法？　そう、それ自体はいつの時代でも、またどこの国でもほぼ共通なのでしょう。でもわが日本語には、無冠詞の曖昧さを筆頭に「ことばの位置づけが曖昧になりやすい」という被支配者側にとっての大きな弱点がある、それを銘々がしっかり認識して十二分に気をつけようではありませんか。とくにマスコミに携わる方々へのお願いです。

次は世界の貧困問題に関心の深い身内から聞いた話ですが、ある国のある地域への援助に関して「日本は最大の援助国である」と書かれていたので英語版で調べたら、Japan is one of the most ……つまり最大規模の援助国「の一つ」である、だったそうです。ここでも「ア」が「ザの如く」に置き換えられている。

ヒトゲノムがついに完全に解読された、との20年近く前の大ニュース。ゲノム（ＤＮＡ配列全部）は個人ごとに異なる部分を持つからこそ犯人特定や血縁関係調べにも使われる、こういうこともしばしば話題になっている――にも拘わらず、個人に依存して異なるものが「ヒトゲノムという一言」で表されあたかも単一（ユニーク）であるかの如き報道をして、どうして報道責任者が不思議に思わないのだろうか、それこそ、

ふ　し　ぎ。

この際、実際にそれがどういうモデルのどういう意味の平均であるかを知りたいと言っているのではありません。不思議に思わないところが怖いのです。あるいは「正確に説明しても国民に理解されにくいから」（そうでしょうか？「ある種の平均である」とひとこと付け加えるだけで良いのです）、またはヒトゲノム解読！と「単純明快に説明するほうがニュースとしてのインパクトが強いから」？　そのどちらの理由だったとしても、これは理解のレベルを上から「レベル鈍」に押さ

えつける危ない方向ではないでしょうか。

テレビのある人気科学番組での（少し以前の）話。「血管年齢」がこうすれば若返る、と実験してみせる。血管年齢はある簡単な方法で測定した数値ですが当然、測定誤差がある。一度の測定値はいわば「ア・血管年齢」。計るたびに血圧が異なるのと同様、無視できない幅があります。ですからビフォーとアフターで計ったものが大して違わなければ何の結論も誘導できないはずなのに「ザ・血管年齢」扱いの説明で、首をかしげたものでした。

もともとマスコミは報道対象に強い焦点を当てたがるもので、これは職業がら当然なのでしょう。商売では売る側が商品のよい面だけを強調するのと同じで、あとは買う側の判断力です。でもマスコミの場合、公平性をうたっていても、ニュースは彼らの商品。焦点を強調しすぎていることを十分心得て聴きましょう。

「これぞ究極の何とかだ、ザ・何とかだ！」

叫ぶ、叫ぶ、子供、ゆるキャラに叫ばせる。

多くの報道関係者は「無冠詞に『ザ』を付けてニュースを売る商人」になってしまっていないか。本当に大切なのは「点」ではなく、それと周りを結ぶ「線、面」による関係性であり、それらを静かに観察して理解した上で広めることが本業ではなかったのか。

(B)「3密」付記　以前どこかでふれた話題でしたが、最近やはり気になりますので追加します。２０２０年以来のコロナ禍、３密を避けるようにという「３密」も、それだけ言われたら論理的には、

「３つの密が重なる状況を避けよ」なのか

あるいは「どの１つも避けよ」なのか

どちらとも受け取れます。複数の意味を内包しているのです。その懸念をテレビ局ないしは新聞社に伝えようかと何度か考えましたが、その都度思いとどまりました。それは、どのみち「できる範囲でどれも避けよ」と誰もが受け取るだろうから実害はなかろうと判断したからでした。ところが「全部が重ならなければ良い」と思っている人が大分たってからもいることがわかりました（２０２１年の4月、第４波の期間中「3密ではなく2密でも避けなくてはならないことがわかりました」と専門家の一人がテレビ報道で言われましたので、ああ、この先生は「３密を避けよ」は「３つ重なることを避けよ」と理解しておられたのだ、いわんや一般でも……と）。

ちなみに日本政府発行の英語版での呼びかけは、

「避けよ（Avoid）３つの『C』：Closed spaces, Crowded places and Close-contact settings」で、さらに、

“We should aim for ”Zero C”

と付記されています。

察するに、もし３つとも避けよと強調すると治療に関わっておられるなどで「とてもそんなことは無理」な方々に仕事を頼めなくなるという配慮かと思えます。英語版を閲覧する人は大体そういう立場ではない滞在者だからその配慮は不要とみて（また論理的曖昧さに日本人よりもうるさいかもしれないとみて）正確を期していると思えば納得がいきます。

でもポイントは、矛盾を曖昧さで隠そうとせずにきちんと述べた上で、３つ全部は避けられない貴重な業務をしておられる方々への謝辞を付けくわえる、というのが進んだ文化ではないのでしょうか。ウィルスとの闘いは配慮―調整型の指導者には任せられません。もっと合理的に考える力と経験をもつ方々が中心になることが生き残りのためにどうしても必要ではないでしょうか。たとえばドイツでのように。

第6章　共通性を見出す楽しさ

生き物は共通の祖先から分岐したらしい、これに気付き慎重かつ大胆に進化論を展開したチャールズ・ダーウィン、リンゴが木から落ちるのと月が地球の周りを回るのとを万有引力の法則で結びつけたアイザック・ニュートン、ギリシャ時代に音楽と数学を「和音の振動数の比と簡単な整数の比」の観点で結びつけたピタゴラス、雷と静電気（の放電）が同じ作用であることに気付いたベンジャミン・フランクリンなど、歴史上の多くの大発見が

関連がなさそうなところにある見えない関連

に気付いた人類の祖先達によってなされてきました。

これらのうち、ダーウィンとフランクリンについて少しだけ立ち入ってみます。関連性発見の重要性、そして「神ならぬ人間」による実践力に、より深い関心を持っていただきたいからです。

そして最後に、「より曖昧」だが「より遠くの」分野を「深いところで結ぶ」役割をもつ「メタファー」について、導入と引締めをひとことずつ述べて後へのつなぎにします。

(A) ダーウィン　ダーウィンは、異なる生き物の間に「共通性」を見出し外見が異っても共通の祖先から分岐したらしいと気付き、単なる思いつきにとどまらず生涯をかけてその実証の研究に励んだ人でした。ポイントは、まず長大な時間スケール（百万年単位）で考え得たこと、そしてビーグル号航海日誌に垣間見られるような芸術家的な感性による観察力、さらに様々な角度から問題点を検討できる辛抱強さとそれを支える経済的余裕だったようです。これは実証的な科学です。（『種の起原』［D］(i)）

珍しい生物やその生態を見せるテレビ番組に「ダーウィンが来た」がありますが、もし相違点に焦点を当てて喜ぶだけなら「ダーウィン以前」です。世間の目は「関連性」より「目立った個」に引きつけられ勝ちで、マスコミも世間に合わせるという言い訳のもと自らの進化も止めてしまっているかの如しです。では

「本来のダーウィン」は、いつ来るのでしょうか？

最初に子供を訪れるのはいつ？　それは言うまでもありません。誰でも知っているように子供が学校の先生に何か動物に因んだあだ名をつけたときです。

さて、その後ワトソン、クリックなどが切り開いた分子生物学の長足の進歩によって、一見全く異なる動物と植物、たとえばヒトとイネでも

生きる仕組みの大元は同じ

ということがわかりました。それをあえて凝縮すると、

生命活動の機能面をつかさどるのは主にタンパク質
様々なタンパク質が必要に応じて作られ化学的な反応によって生命活動が営まれている
その環境の中で「どのタンパク質がどれだけ必要か」は生物種ごとに異なるが
「必要性の情報からタンパク質を作らせる機械ＤＮＡ」の基盤の仕組みは生物間で共通！

(B) フランクリン　後にアメリカ合衆国の独立に多大な貢献をしたベンジャミン・フランクリンの「雷は静電気の放電」説について。

「嵐の中での非常に危険な凧揚げ実験」については多く取り沙汰されていますが、彼がこのことに興味を持ったきっかけや彼の主張への科

学の先進国英国での最初の反応については（より含蓄が豊富なのに）あまり書かれていないと思いますので、彼の自伝［F］の第11章の後半から（やや長いので端折る一方、説明の注釈をつけて）引用しましょう。すでに重要な政治家としてフィラデルフィア中心に活動していました（42歳前後）。

「1746年ボストンで、スコットランドから来たスペンサー博士（科学、医学）による一般向けの（有料）講演会に出席した。そこでガラス管を使った電気の実験を見て大変驚き（amazed）大変興味をもった（amused）。（註：発明されたばかりの「ライデン瓶」、静電気を蓄積して放電する当時の装置。）フィラデルフィアに戻ると（註：異常な興味が伝わったのか）ロンドンの英国学士院のコリンソン氏から私たちの組合図書館に宛てて実験用ガラス管とその取り扱い説明書が送られてきた。私はこれ幸いとばかりにすぐさまボストンで見た実験を繰り返し、又おおいに練習した結果、新しい実験まで出来るようになった。私の家はこの新しい奇蹟を見に来る人でいつも満員だったのでこの煩わしさを少し友人に受け持って貰おうと思い土地のガラス工場に頼んでガラス管を沢山作って貰って友人達に与え、実験が特に上手だが失業中だったキナズリー氏に「大掛かりな実験をして有料で大勢に見せたら？」と提案し、その講義の具体的な手順を書いて示した。彼は装置も更に改良しこの企画は追々（多くの植民地の首都でなど）広範囲での儲かる巡回事業になった。
そこで世話になった英国学士院のコリンソン氏に数通の手紙を書いて私たちの実験の結果を説明、報告した。でも学士院の反応はというと、私がキナズリー氏のために書いた「稲妻は電気と同一である」という一つの論文が読み上げられた際、専門家達は一笑に付したとのことである……。私の著書がその後にわかに世間に知れ渡るようになったのは、その中で提案しておいた実験の一つをダリバール氏とド・ロル氏がマルリ（パリ郊外）で試みて雲の中から稲妻を導きだすのに成功した為で、この実験は至るところで世間の注目をひいた。ロル氏は「フィラデルフィアの実験」と名付けてこの実験を何度も繰り返し行った。この素晴らしい実験の話や、その後まもなく私がフィラデルフィアで凧を使って行った同様な実験に成功して限りなく嬉しかった話などを長々と書き綴るのはやめにしよう。二つとも電気学史の中に出てくる筈だから。」

すこし補足と解説を。かつてフランクリンは印刷工場で働き、地域の新聞を起こし、世論のリーダーとしても活躍する等、さまざまなことをしっかり丁寧にやり遂げ、機械にも実務にも経験豊富でした。好奇心も旺盛で実行力があったことも上で見る通りです。ではいつ、どのように

雷も静電気

という決定的なアイディアが浮かんだのか。筆者の想像では、このように度々実験を繰り返していれば放電の際の光が稲妻のようだと気付く機会が沢山あり、彼にとってはごく自然な成り行きだったのではないか、凧揚げしなくても「明らかだ」と確信が持てたのではないかと思います。「稲妻的天才の閃き」または「冒険的実験」と世間は受け取りたがるでしょうが、重要なのは、きっかけとなった講演拝聴と彼が好奇心も実践力も豊かでその幸運を生かせたことであり、あとは特別な観察力がなくても衆目の中で改良しつつ放電実験を繰り返していれば、威力が増すだけ稲妻に似てくる……

嵐の中の危険な実験などしなくてもよかったのでしょう。これが筆者の解釈です。

(C) メタファー　もっと弱い意味で「気分的な共通性を相異なる分野の対象に対して感じとる」ことなら、我々にもしばしばあること。その的確な表現がメタファーであり、それを探し求めるのは文化の重要な部分でしょう。自然科学だけではなく、哲学者や文学者がメタファーを好むのも、知性の極みは共通性の認識とそのうまい表現にあると古来より深く認識されているからでしょう。アリストテレスは『詩学』の中で「最も偉大なのはメタファーの達人である。通常の言葉はすでに知られていることしか伝えない。我々が新鮮な何かを得るとすればメタファーによってである」と書いています。

音楽と数学に関するメタファーの具体例には後程ふれたいと思います（第18、19章）。

ここで一言追加します。たとえば人生は「旅」であるとか「芝居」に過ぎないなど、あたかも一般的な「悟りの教え」のように取られ広まっているメタファーは、より注意深く鑑賞したいものと思います。その程度の凡庸な悟りではなく、もっと個性的な精神に基づいているのではないでしょうか。

たとえば芭蕉『奥の細道』の冒頭の

「月日は百代の過客にして行きかふ年もまた旅人なり」

は「人生は山あり谷ありの旅のようだ」とは言っておらず、「月日」を旅人に喩えています。「人生を」ではなく「月日を」です。どういうことか。まず、何時もどこかを旅している自分でありたい、そして別のとき別の場所を旅している自分は（その地方の風景に溶け込んだ旅人として自然の一部だから）それぞれを「別の旅人」と見る（ここが肝心）、それによって年月をその旅人と対応させて見ている、そういうことなのでしょう（このようには教わらなかったようですが）。

もう一つの「人生は芝居」の原典の一つかと思われるシェイクスピアの「お気に召すまま」第2幕第7場の

“All the world' s a stage, and all the men and women merely players”

は、人生を赤ん坊から瀕死の老人までの「七幕」に分け、たとえば当時の裁判官の腐敗ぶりを痛罵（この中の第五幕）するなど、それぞれを茶化しまくっていますから、これも「悟りの教え」とは異なり一種の遊び心によって見えた切り口だったのでしょう。

そう、メタファーは一般的な悟りを目指すものではなく、ちょっぴり新鮮味がある「切り口の発見の叫び」ではないか……と筆者は考えています。

第7章　イメージしない恐ろしさ――歴史より

（A）時間軸　世界史（とくに第一次および第二次世界大戦とその前後）から素人でも学べる重要なこととして、まず戦争の結末の悲惨さ、戦争が起こってしまった複合的な要因、更には一つの戦争が如何に武器の開発を促進し桁違いの破壊力をもつ新しい武器が開発されてしまったのか、などがあると思います。これらは時間軸にそって変化するもののイメージ形成と関わりますから、特定の時点での特定の被害にフォーカスする方法とは意識的に独立させないと見えにくいのではないでしょうか。広島、長崎に落とされた原爆についても「戦前には大方が予想もしなかった原爆の如きものが作られた」という視点です。たしかに、原爆の被害がいかに恐ろしいものかをフォーカスし、その映像によって「人間としてこういうのは許せない」と感じてくれる世界中の若い人達、有名人達が増えることは極めて重要だと思いますが、それ一本ではどうも不十分ではないか。不十分さの原因の一つが、逆側（複数あり）の視点がどれも入っていないからそちらからの反論にまともに答える力が十分でないこと。もう一つが、どうしても都市単位だと他人事と思ってしまう方々も残念ながら多いようで、そのため、個人それぞれの直接的危機感による戦争抑止力が十分に効かないこと。これが現実ではないでしょうか。

あれから75年も経った現在、保有されている核兵器も桁違いの破壊力になっているようですし、戦雲が高まればまた更に……となってしまうでしょう。そして別種の恐ろしい兵器の出現もあり得る。

（B）連鎖反応　核分裂は連鎖反応です。仕組まれた連鎖反応にはPCR検査（CRはチェイン・リアクションの頭文字）のような有用なものもありますが、武器の場合を考えてみましょう。連鎖は瞬く間に起き、一つの工夫によってワンステップでのエネルギーが増せばそれらの連鎖によって指数関数的（ネズミ算的）に威力が増してしまいます。たとえばワンステップで1・1倍になれば10ステップで約2・7（自然対数の底）倍——それが仮に2倍としても100ステップで2の10乗＝1024倍、従って200ステップでは（10の6乗の）100万倍を超えるのです。実際には「技術上の制約が（幸い）あってこの数字通りでない」ということは物理学者の旧友も保障してくれていますが、少なくも連鎖反応の本質はこれ。技術上の制約は、安全性への担保というより軍主導での取り除く方向のターゲット、と考えて心配した方がよさそうです。

当時の原爆のエネルギーはそれ以前の爆弾のエネルギーの100万倍単位だったと記憶していますが、(註)その又100万倍だったら……被害は都市規模どころではありません。日本なら全域に及ぶのではないか。

筆者は都市規模ならかまわないと思っているわけでは決してありません——そう感じている人がいるように思っての警告のつもりです、念のため。

(註) ものの本で確認しましょう。『元素111の新知識』[S－3] によると……

ウラン235の原子核に熱中性子を当てると、ウラン236の励起状態になり、次いで核分裂を起こす。そのとき、バリウムとクリプトンのような2つの核分裂破片と2～3個の中性子を発生し（原子核1つにつき約200MeVのエネルギーを放出する（このエネルギーは化学反応によって放出されるエネルギーの100万倍にも及ぶ)。発生した中性子が別のウラン235に当たるとまた同様の結果を生じる（項目「Uウラン」より)。

一方、核融合についてはそれによって放出されるエネルギーは、同じ原子数でくらべると、化石燃料の約100万倍にもなる。また原料となる重水素は海水中にほぼ無限に存在するため、未来のエネルギーとして期待されているが実用化への道はまだまだ険しいといわれている（コラム「…核融合」より）。

(C) 猫を棄てる　そして戦争は

始めるより終えるのが遥かに難しい

という歴史の教訓。これも時間軸にそっての問題であり、為政者がどれほど長い期間のイメージをもって判断できるかの要素を含んだ問題でした。

関連した比喩の話ですが、最近出版された村上春樹著『猫を棄てる』［Mu］を読む機会に恵まれました。京都大学文学部の小山哲先生主催の読書会でした。この短編は、戦争に翻弄されたご一家——父上との心理的葛藤も——の回想がさらっと綴られ読みやすく含蓄に富んだ物語ですが、象徴的な描写が猫によって二度描かれてもいます。棄てたつもりがすぐ戻って来た、というエピソードが題名の由来ですが、最後に出てくるのが

降りることは、上がることよりずっとむずかしい

を象徴するエピソード。飼い始めた可愛い子猫が、あるとき「まるで自分の勇敢さ、機敏さを僕に自慢するみたいに」するすると家の松の木の高い方まで上っていった、のはよいが、さて降りられ

なくなったらしく、見えないところからなさけない声で助けを求める、でも助けようがない。そして夜がふけその後、姿が見えないままになってしまった……。上で白骨になってしまったのだろうか。

このくだりを読んでまず「そうなってしまう前に落ちたはずでは……」と思いましたが、次に「いや戦争とイメージを重ねるとピッタリではないか！」と気付きました。見境なく上って降りられずに、どこかで……？

最後のコメントにも回り道してから進みます。

（D）極端を描く――トゥーランドットに学ぶ　ものごとのイメージをくっきりさせる方法の一つが「極端な場合も考えること」です。数学では特にそうで、たとえば第20章でふれるABC予想も極限状態に関する予想です。他の分野では、たとえば精神分析のフロイトの考え方がこの方向で、当時革命的でした。また「複数の極端」を描くことで人間社会の本質をえぐってみせる演劇（主に悲劇）のオペラ版の一つが、フィギュアスケートの荒川静香さんのトリノ冬季五輪金メダルで有名になったプッチーニの未完のオペラ「トゥーランドット」。

このオペラ、通して聴くとかなり疲れます。「何故だろう?」と試みた筆者の「簡略イメージ」は、

「人の本性五つの極端」を五頂点としてそれらの間に糸をピーンと張り巡らせた

ヒトデ形図形。

その五つとはこの場合（いずれも極端な）

「美貌」「冷酷性」「無謀と紙一重な勇気」「愛」「犠牲的精神」。

それぞれの糸は相異なる（少なくも二つの）極端の間を結んで、逆向きの張力にも切れず耐え続けている——無謀な恋人への密かな愛と犠牲的精神が女奴隷「リュー」によって美しく歌われるときの緊張し切ったか細い糸——これもその一本。聴くだけで疲れるのは当然でした。さらに五つの頂点それぞれの力強い表現（超絶的技術を要する主役の歌唱など）も聴かせどころですし。

さて恐ろしい武器の発達のうち「破壊力増大」とは別方向にあるのが「精密性増大」でしょう。戦争のイメージの中でピンポイント攻撃の位置づけを探るなら、それを際立たせる頂点は「これ」しかないでしょう。

武器における「ピンポイント技術の開発」だけに限れば、わずかなプラス面もイメージでき

る。戦争をしたがる為政者同士で、互いの居場所「だけ」を標的にピンポイント攻撃をして刺し違えてくれればよかろう。これは抑止力になるかもしれない。

第8章　イメージングの楽しさ――からだ

筆者が人体のことを知って楽しいのは、自分のためにすぐ応用できるかどうかにかかわらず、「ホー、からだって凄い！」と感嘆できるからです。その例を、いずれも筆者のそれまでの無知をさらけ出すだけかもしれませんが、四つ取り上げてみましょう。

(A) 基礎代謝　目覚めてはいるが動かない、楽な姿勢、神経への刺激も少なく気温も快適、喰べたものもほぼ消化された状態、こういう場合でも使われているエネルギーがいわゆる「基礎代謝」エネルギーです。これが必要だということは容易に頷けます。心臓は鼓動している、呼吸もしているからそのために筋肉がエネルギーを必要とする、そして横になっていてもその姿勢は保たなくてはいけない……。驚いたのは次の二点でした。

一つは、基礎代謝が通常の代謝全体の中で占めるエネルギーの割合が「かなり大きい」こと、60～75%といわれます。そしてもう一つは、基礎代謝の中で上に列挙したもの（心臓の鼓動、呼吸、姿勢保持）はごく僅かな比率しか占めないということ。では主な基礎代謝は何かというと、身体の「恒常性」（テレビで先生方は「ホメオスタシス」などといわれます）を保つための体液の調整、たとえば細胞内外のイオン濃度の再調整に要するエネルギーでした。

ナトリウム、カリウム、カルシウムなど軽金属がつくる陽イオンや塩素などの陰イオンはそれぞれ細胞内外に一定の濃度差を基準として配分されており、細胞活動はその濃度差を利用した「イオンの細胞内外への出し入れ」によって多くがなされています。たとえば糖分の腸壁細胞内への取り込みは、（動物ではナトリウムイオン濃度は細胞外のほうが細胞内よりも圧倒的に高いことを利用して）ナトリウムイオンに付き添われて細胞内に送り込まれます——「砂糖は塩（塩化ナトリウム）に付き添われて吸収される」——。また神経活動は電位差の波ですが、それもこれらのイオンの出し入れによって形成されます。そしていずれも活動後はポンプを使って濃度を元に戻さなくては次の仕事ができません。ポンプは、たとえば余分になったナトリウムを細胞内から外に汲み出すと同時に一定の比率でカリウムを細胞内に汲み入れます。そしてポンプを動かすにはエネルギーが必要です。気付かないところで体は「一生懸命」体液の調整をしているわけです。生物では

「無意識活動が活動全体に占める割合は、想像されるよりずっと高い」。

これは基本的に重要な認識でしょう。具体的な数値はあえて書きません。細かい数値の正確さが関

心の的になると基本への関心がぼやけますし、必要ならすぐインターネットで検索して手がかりを見つけられるのですから。

（B）血液が濾過されたのが尿　次の話は（物的イメージが一寸きたなくて恐縮ですが）便と尿の根本的な相違から。固体か液体かだけではありません。便は「大腸」通過物ですが、尿は「血管」を流れる血液由来であって、由来が全く異なるのでした。血液由来ですから尿も（生じたてのうちは）汚くはありません。尿素がすぐに分解されアンモニアを生じて刺激臭がするだけです。

尿は、体内の不要な液体を排出するためだけではなく、血液成分の定常性を保つという基本的に重要な役割も担っているのでした。そして血液と尿の相違は

尿は血液を「濾過《ろか》して」できたもの。

濾過ということばのイメージとはうらはらに、この場合

濾過されて奇麗になった液体が尿

というわけです。これは筆者の勘違いではありません。濾過の場所は腎臓。坂井建雄著『腎臓のはなし』［S－2］によって簡単に復習してみましょう。体内の血流はその旅程のなかで（小さなソラマメ状で左右一個ずつある）腎臓に流れ込む。そこでは毛細血管と毛細尿管が密に接しており、中

身のやりとり「濾過と再吸収」が繰り返し行われる。腎臓内のフィルターで血液を濾過して毛細尿管に流す、それを毛細血管に再吸収してから再びフィルターにかける。この過程を何度も繰り返すことで血液として残す部分と尿として捨てる部分を綿密に選り分けている。腎臓は「血液に何が必要で何が不要かを正確に計りそれに応じて調整」しているのでした。必要（というより必須）なのは「体液の恒常性の維持」で、たとえば血液中の塩分濃度を一定の０・９％に保つのも腎臓の仕事です。腎臓は尿をつくるというみすぼらしい役目の器官ではなく、身体全体にかかわる調整としている重要な器官でした。


さて用語「濾過」のイメージングについて。

「大きく汚い混入物を引っ掛けて捨て、奇麗になった液体を残して使う」

という一般的なイメージとこの場合は逆になっているわけは、

「血液成分として残されるべき主要なものが、実は（網に引っ掛かる）大きな粒子！」

だからです。詳しくは述べませんが赤血球や白血球をイメージするだけで納得できると思います。これらは大きな粒子です。一方、血液中に残さなくてはいけない小さな分子もあり、それらは最初はフィルターを通過して毛細尿管に行くでしょうが、何度も再吸収の過程があるからこそ結局は血液側に残せるという仕組みです。逆に尿として排出したい大きな粒子があるとどうなるか。当然フィルターを壊してしまう可能性があります。タンパク質は大きい、というより巨大な分子です。出さなくてはいけない過剰摂取のタンパク質が（以下述べる尿素にまで分解されずに）血液中に沢山残されていると腎臓を痛めることになりかねないわけです（ネフローゼ）。

このように、普通の濾過とは逆なのですが「だから混乱しないように」とは［S－2］にも書かれていないようです。何となく釈然としない場合には、そのまま読み進んだり聞き過ごしたりせずに、キーワード（この場合は濾過）のイメージングを試みましょう。教室でなら生徒は「尿は血液が濾過されて奇麗になったほうなのですね」と質問すべきでしょう。

尿に含まれる「尿らしい成分」といえば（哺乳類の場合は）「尿素」ですが、これはすでに血液中を流れています。さかのぼると体内のタンパク質の代謝で生じる分解物に固有な元素は「窒素」ですが、尿素はそれを水に溶かして排出するために肝臓で作られる小さい分子 NH_2（CO）NH_2 で、それが血流に乗って腎臓にやってくるのです（Nが窒素）。

尿素と塩分には、行く先を分別される前に腎臓で果たす興味深い役割があります。［S−2］によると

尿素とナトリウムは蓄積して濃度勾配を形成し「再吸収」に必要な浸透圧を作る。

非常に興味深いので、それに啓発されて筆者が描いた比喩的な「第一イメージ案」も併記します。

ある液体を流すために必要な「傾斜」を、その液体中に溶け込んでいる二種の溶質を「沈殿させながら作り続ける」精妙なメカニズム。

（C）血液脳関門（BBB=blood-brain barrier）　かなり古くから研究され日本人による重要な貢献も多い重要な「存在」ですが、そのわりにあまり知られていないのではないでしょうか。血液を、脳（というより中枢神経系）に自由には入らせないためのこの厳しい「関門」、

実体は、脳の毛細血管の内皮細胞の間の密着結合（tight junction）

主な機能は、血液成分を選別して特定のものしか脳には入れなくすることだそうです。多くの血液成分、たとえば白血球が間違って脳に入ると一転有害になるからでしょう。また、口から摂取した栄養分や薬剤は血流に乗って身体を巡りますが、それらは脳内に入れるのか？　いや

「口から摂取したものが必ずしも脳に入れるとは限らない」

筆者も以前は知りませんでしたが、常識として定着してもよさそうに思えます。では分子ごとに、それが

BBBを通れるのか、通れないのか、中間の場合は「通れる度合い」

を示してくれる表があって自由に閲覧できると良いのに……とお思いでしょう。筆者もBBBを学んで以来そう考え、ときおりインターネットで探すのですが、今のところ見当たりません。実験動物とヒトの場合は異なるようだし、通るかどうかが微妙な場合は「競争相手との相対的関係」らしいし、分子が薬剤の場合には（その研究が必須であり従って研究も進んでいるはずの）薬品会社の機密情報でしょうし、なかなか難しいのでしょうか。

基本的には大きめの分子が関門で引っ掛かりやすいようです。たとえば脂肪酸なら短め（分子式をみて炭素の数が少なめ）でないと通過しにくい。中位のココナッツオイルは微妙なのでしょうか。「脳に良かれ」とサプリを摂る場合はそれがBBBを通れるかどうかを自分で調べられれば無駄がなくてすむでしょう。たとえば脳内の（安定系）神経伝達物質であるセロトニンはどうでしょうか。体内のセロトニンは量的には主に腸で作られますが、脳で使われるセロトニンは脳で独自に作っているそうです。食や「サプリ」から摂取してもBBBを通れるのはセロトニンではなく、そ

の前駆体のアミノ酸であるトリプトファンが、競合次第で通り得るとのことです。
身体の仕組みは総合的に成り立っているので、宣伝文句で与えられる印象のように簡単なことではなさそうです。やはり（あえてカタカナ語を振りまわすなら）「情報オンリー」より「ウィズ・マイ勉強」でしょう。

密着結合に関わる重要なタンパク質であるオクルディンとクローディンは、月田承一郎博士とそのグループによって発見されました（１９９５～２００２年頃）。氏の『小さな小さなクローディン発見物語』［Ｔ］には苦労話に先だって「発見における幸運（セレンディピティ）」に関する貴重な体験談、及びそれを元にした（山登りに喩えた）メタファーも書かれています。一読をお勧めしたい名著と思います。

(D) 呼吸と酸素　ビックリの種をもう一つ。周知のように呼吸の主な目的は酸素を吸って血液に乗せ、全身に行き渡らせ、肺に戻った血液が運んでくる二酸化炭素を吐くことです。吐いた二酸化炭素は炭素と酸素の化合物ですから「この酸素」は「吸った酸素由来であろう」、直前のでなくても少し前のも含めれば、と漠然と思っておられませんか？　ところが「実は違う、それが証拠に、酸素の異性体（重い酸素）の中で呼吸をつづける実験をしても吐かれる二酸化炭素の中には吸ったはずの異性体酸素が含まれていない」とのこと。ではどういう仕組みか？　思わず「呼吸がとまる位」ビックリし、一方脳のほうは元気になりその仕組みを理解したくなりませんでしょうか？　そこで、大まかな仕組みとまだ残る筆者の疑問にふれてこの章を終えることにします。

参考文献　『Essential 細胞生物学』〔E〕解答13－5

（補足説明）まず吐きだされる二酸化炭素に注目します。

（1）体内の炭水化物がその代謝過程で加水分解される

（2）すると二酸化炭素と水素イオンを生じる

（3）前者は呼気で吐き出され

（4）後者は吸気された酸素で酸化されて水になる。

こういう仕組みでした。つまり、吐かれる二酸化炭素は体内に既にある炭水化物の主な分解産物だったのです。ただし、筆者が「これだけではまだ証明にはならない」ととまどうのは「（4）で生じる水（二分子のうちのたとえば一分子）がのちの（1）で使われることはないのか？」という自然な問いに対する答えが書かれていないからです。上記の実験結果はそれを否定していますが、

「異性体酸素を含む水だから使われなかったのではないか」という疑問は残ります。

簡略化した化学式で表すと以下のようになります（正しくは全体を「6倍」します。CH_2O は $C_6H_{12}O_6$ になります。その他の分子は係数だけ6倍に）。

（1）　$CH_2O + H_2O \rightarrow CO_2 + 4H$

（4）　$4H + O_2 \rightarrow 2H_2O$

（註）本稿校正時に4年ぶりに改訂された第5版でも、当該個所の主張はそのままになっておりました。

第9章　イメージングの楽しさ――音楽より

（A）ピアノ協奏曲の楽しさ、（B）イメージ演奏、の順で話をすすめます。

（A）ピアノ協奏曲の楽しさ

ある少年は「ピアノ協奏曲」という言葉を「聞いたことはある」という程度だったとしましょう。昭和の時代です。当時はラジオでクラシックの名曲を毎日のように楽しむことができました。ベートーベンの代表的ピアノ協奏曲第5番「皇帝」が解説付きで放送されることを知り、とにかく聴いてみます（好奇心）。ピアノ協奏曲とは何だろう。それはピアノとオーケストラの共演、ということをまず知り、実際の音（録音されたものではあるが）を解説付きで聴く機会を得ます。気に入らなければそれで一応おしまいですが、美しい響きのハーモニーと華やかなロンドの楽しさなどを感じ、主なメロディーを思い出して鼻歌で歌ってみたいと思う（好回心）、でもごく一部しか思い出せないし思い出せても繋いでゆけない。まあこれが普通でしょう。レコードを買うのは難しい。

でも今度はモーツァルトのピアノ協奏曲二十数曲をシリーズで放送していることにも気付き、聴き始めます。一晩一曲ずつです。ちなみに当時は、新聞等のラジオ欄を見渡すとどこかの局のどこかの時間帯にモーツァルトの名前が見える、見当たらない日は少ない、といった状況でした。さて、モーツァルトは明快でハギレがよいし終わり際もしつこくなく、なぜか飽きない。沢山聴くうちにだんだんソナタ形式、メヌエットとトリオ、ロンド、変奏曲などそれぞれの様式の特徴がわかってそれも楽しめるようになり、ピアノとオーケストラの対話のような掛け合いの妙や微妙な転調も自分の情操にマッチしていることに気付き、ハマっていく。好きな曲はなるべく全部、少なくとも主なメロディーは思い出したいという気持ちが強まり、ついに小遣いをはたいて何曲かのレコードも手に入れる。

ジャケットの裏にモーツァルトがいかに天才であったかとか、第二楽章は「天上のしらべ…」などと書かれているのを読むのも、決してわるくありません。先入観なしで聴くべきだという考え方もありますが、解説を読んだ上で聴いてみて自分でどう感じるか比べてみるほうが初心者の場合は良い手がかりになると思います。初心者のうちは鳴っている音のほんのわずかしか聴き取れていないものですが、手がかりをもとにちょっと注意深く聴くことによって聴こえる音が豊かになってくる――いわゆる耳が肥える、という感じです。そう、同じ音楽を聴いていても、聴く人によって聴こえている音の豊かさには雲泥の差があるのでした。

さて、曲を鼻歌、できればより精妙に口笛などでおぼえて散歩のときも楽しむ（イメージづくり）ことになるでしょうが「おぼえよう」とすることは意外に重要です。そのわけは、思い出せない場合もう一度聴いてみると「ああそうだったのか！」と作曲の絶妙さに改めて感服して「曲想自体」を初体験でき、優れた曲の価値を多少でも「自ら」感じとれることにつながるからです。

おぼえる際にどういうメモをとるかの工夫もしてください。たとえば「第九のあの部分」なら「ミミファソ｜ソファミレ｜ドドレミ｜ミーレレー」のように曲を（相対）音階で歌ってみる習慣がつけば楽になります。まず和音の「基音」を感じとり、それを「ド」とみなしてメロディーを相対音で書きとる。音符の長さや臨時符号を加味してメロディーのメモづくり、というのが役に立つと思います。思い出すきっかけになればよいのですから、自分用語でよいわけ。

一方、ピアノや鍵盤などで耳に残った音を「探す」、これもよくあるパターンです。「絶対音」をそのまま把握するにはこのほうがよいのですが、これに頼ると「やみくもに音を探す」方向にいってしまい自分自身の「相対音感」は育ち難くなるのではないでしょうか。

そしてあとは曲の基本の調性（第九は基本ニ短調でもあの部分はニ長調、とか）を知り、音叉を携え、基音の実際の音を確認する。これでメロディーは原理的には正しく再現できます。また、半音進行を楽器なしで正確に再現しやすいのは口笛で、それも役に立ちました。これをきっかけに心で歌えれば、オケの響きのほうは耳の記憶が補って響いてくれるでしょう。ともかく少年はモーツァルトのピアノ協奏曲の彼なりのイメージを心のなかに取り込み、ながく心の友とすることができました。

楽章間のつながりの感覚もついてきます。第二楽章は、しばしば第一楽章最後の基音「ド」を「ソ」と見做して始まる（調性は♯なら一つ減、♭なら一つ増のいわゆる「下属調」に移行）といったことも自然にわかってくるでしょう――たとえば「天上のしらべ」とジャケットに評されていた第二楽章（上述）はK467（ハ長調）のピアノ協奏曲（21番）の中の「やすらぎの」へ長調楽章です。また、とくにモーツァルトの場合、一つの曲のいくつかの楽章の間に、形式や長調短調の相違にかかわらず深い「内的関連」を感じ取れるという面白さもありました。30分程度の曲をおぼえると通学、通勤などで歩く時間が楽しいものです。

ただし、以上はまだいわば「2次元程度の理解」。作曲はおろか演奏にも加わっていないのですから。また口笛ではコードは表せない。でもこれが素人の限界に近い。

さて、尊敬する友人のT氏は大病院のお医者様で音楽はその意味では素人なのですが、独学でピアノを習得され、音楽愛好の仲間とのミニコンサートでは、ソナタの独奏や声楽の伴奏に加えて仲間と二人、一方が独奏ピアノ、他方がオーケストラパートのピアノ用編曲を受け持ちピアノ協奏曲の連弾をシリーズでしておられました。ここまでくると、音楽を内面から作曲者レベルで楽しめるわけで、次元の広がりを感じます。私も何度か聴かせていただきましたが、プロの大ホールでの演奏では感知しにくい細部まで（プロよりもややゆっくりですし）よく聴き分けられ、しかも作曲者への深い敬意を感じられる解釈と表現によって曲への理解が聴く側でも深まるのでした。モーツァルトの19番（ヘ長調）とベートーベンの4番（ト長調）が特に印象に残っております。

(B) イメージ演奏　音楽の楽しみ方はいろいろありますが、ここでは「イメージ演奏」について。「聴く」は基本受け身、「演奏」は主体的ですが、いずれも「外からの音」を聴きながら楽しむ方法でした。それらの体験をある程度積んでからのいわば第三の楽しみ方としておすすめです。

イメージ演奏といっても、これから演奏会で実際に演奏しようという方が個人リハーサルとして目をつぶって演奏のイメージをされるという意味ではありません。知っている名曲のいくつかを一人でソラで「十分」思い出して「十二分に」楽しむ、というだけです。ときどき確認するため、楽譜が読めること、これは必要です（補足参照）。

イメージしながら曲を順に、なるべく最後まで、丁寧に、耳元で鳴り続けさせる。好きで何度も聴いた曲ならかなりの精度で気分よくできるもの。通勤途中など歩きながらモーツァルトの交響曲を一、二曲（口笛的なイメージに和音の雰囲気を加味して）「演奏」して楽しむ……この際「はしょり」で早く終わってしまったり脱線して堂々巡りになり楽章の終わりへの流れに入れないこともあり、後に楽譜で確かめることになったりもします。たとえば古典的なソナタ形式では、第一主題から第二主題に移る時の転調のあり方が最初の提示部と再現部とで異なるので、そこの「分岐ポイント」に気をつけないと脱線して「あれ？」となってしまいます。片手間に好きな音楽を楽しみつつイメージを修正していける「イメージング」です。

特にモーツァルトのオペラの好みの場面のイメージ演奏——筆者は酒はあまり嗜なめない体質なのですが、これは多分、最上級酒を楽しむのに匹敵する（いやいや、それ以上の）楽しみ！　かつて数学教室のロビーでも口笛で同輩、院生を悩ませました（嬉しいことに、引き継いで続けてくれたドイツからの方もいました）が、精妙な音楽は人を酔わせます。ですからお勧めしないわけにはいかないのです。

聴覚の内耳と脳神経を結ぶ「有毛細胞」には二種類あるそうです。聴こえた音を脳に伝える「内有毛細胞」(センサー系)と、逆に脳からの指令を内耳に伝える外有毛細胞(モーター系、こんなものがあったのです!)。その外有毛細胞が助けてくれているのでしょうか。集中できることのほうが静かなことよりも大切で、病院のMRI検査の30分のガーガーの中のほうが交差点の多い道路より適した環境なのでした。耳の機能は不思議です。

(C) 補足「音楽は好き、でも楽譜読みは苦手」といわれる方が最近は意外に多いようですので、いささかでもその助けになればの補足です。ポイントを順序立てると、

音階ドレミファソラシドが(曖昧さなく)歌える ⇓ 「ド↓ソ」とか「レ↓シ」とかの移行の音がとれる ⇓ 馴染んでいる簡単な曲を音階で歌える ⇓ (♯も♭もない)ハ長調の簡単な曲なら楽譜を見て歌える

そしてその次が、楽譜の左端の調号(♯、♭たち)を見て

♯付き ⇓ 一番右の♯の位置を「シ」、従ってその一つ上を「ド」と見做してその位置を楽

譜に（または心に）しっかり記し、あとは単純にドレミで歌う。
♭付き　⇓　一番右の♭の位置を「ファ」と見做し、それに対応するドの位置を記してドレミで歌う。

最後に曲の「調性」の読み取り。まず右記の方法でドレミで歌って下さい。そしてドミソが和音の中心　⇓　ドの位置の音名（第11章（B））を冠した長調（たとえば♯♭なしならハ長調）。

ラドミが中心　⇓　ラの位置の音名を冠した短調（たとえば、♯♭なしならイ短調）。これをラシドレミ……で歌うのはたやすく、短調の「平行読み」として合唱団などでもっと親しまれてもよいのではないかと思います。正式には「平行長調音階読み」でしょうが（「平行」は「同じ調性の長調と短調」の意味）。

なお、音名に♯が付く場合は「嬰」、♭が付く場合は「変」を冠します。たとえば♭三つは変ホ長調／／ハ短調、♯三つはイ長調／／嬰へ短調、など。

　無論これらだけではありませんが、ハードルの主なところは以上でしょうか。これらの原理については第11章をご参照下さい。

第10章　イメージングの楽しさ――数学より

数学での最初のイメージングの話です。その基本は代数では変数と方程式、幾何ではいろいろありますがお馴染みなのは多分ユークリッド幾何学での補助線の活用でしょう。なお、数学が好きで得意だったけれど大学では文系を選ばれたといわれた方と話が弾み、でも複素解析関数はご存じないと知ったときほど、その見事な美しさを説明したくてうずうずしたことはありません。でも複素解析関数の話は縦書きの本書では土台無理ですので、余裕のおありのときにでも入門書で楽しんで下さい。

数学記号は、それぞれをまとまりとして把握しやすいように横書きを用います。

(A) 代数　数学で最初に目に見えない対象を扱うのは多分、代数学。そこでの変数の導入です。代数って何？　小学校のころ鶴亀算を教わり、そののち変数 x,y を使えば楽にできる、という話も聞きました。でもそれは「そのやり方が便利で楽だから」という主旨で教わったのであって、代数の考え方そのものに感激したのは後に自分で考えてはっと悟ったとき、それまではちゃんとわかっていませんでした。鶴の数と亀の数をそれぞれ x,y とすると、合わせた頭の数は x+y で、足の数は 2x+4y。これらが与えられていることからあとは周知の機械的計算で x と y を出すわけですが、通常はその説明で一応納得し、答えの出し方を習得、練習問題を沢山解いて正確に早く答えを出す練習をする。

でも、実はここをどう納得するかによって二つの道に分かれる。

（1）x,y って何？　に対して「こういうときに使うと便利な記号」とのみ理解する。

（2）これらはいわば空の「箱」であって、そこに正解の鶴ないし亀の数を入れたと「イメージする」と、この等式が成り立ち従ってその後の等式も成り立つ、だからこうでなくてはならないとわかる、そういう箱である。なるほど！　と心でも納得しその考え方を見つけた人に敬意を感じる。

（1）と（2）は一見同じようでもちょっと、いや根本的に違う、と思いませんか？　今は授業でもこう教えられることが主流なのかもしれませんが、私の頃はどうやらそうでもなく、それを使って正確に早く答えを出す練習にすぐ入っていたようです。ですから机に向かって考え、あるとき自分で悟る、これしかありませんでした。（2）が大切なわけは、第一に、これによって「イメージをする」ことの具体的意味を悟れる。第二に、そうわかればついでに、「この推論の進め方は『必要条件を追っているだけ』だから、出た答えが題意に適するかどうかは別問題。逆方向の推論も検証しなくてはならない」ということも（教わらなくても）理解できる。それよりも数学で当然一番大切なこと、

いま自分は何をやっているか、それを常にわかって計算する習慣を体得する最初の機会になります。

(B) **幾何**　ユークリッド幾何は懐かしい、という方々のために。次の問題はご存知でしょうか。補助線をもろに必要とします。

任意の三角形　ΔABC を与えたとき線分 OA OB OC の長さの和が最小になる点 O を求めよ。

問題が「長さの2乗の和が……」なら、答えは「重心」になります。でもこの場合は違います。答えは、三つの頂角のうち一つが 120°以上のときはその頂点が解 O であり、そうでないときは、内

点Oであって、Oと頂点を結ぶ三本の線分のなす三つの角度がいずれも120°となるものが実はただ一つ存在し、それが解を与えます。

周辺の余白に以下の図を描いて下さい。Aが一番上、Bは左下、Cは右下としましょう。Bを中心にΔABCを左に60°回してみます。また内点Oを一つとりAとOの行く先をそれぞれA′とO′としましょう。するとΔOBO′は二等辺で挟角が60°だから正三角形になる。従って線分OB OA はそれぞれCO OO′ O′A′と長さが一致します。だから問題の長さの和は「CからOとO′を経てA′に至る折れ線の長さ」に等しい。ここでA′はOの取り方によらずに定まっていることに注意すれば、答えは「この折れ線が直線のとき」とわかります。そしてΔOBO′は正三角形でCOO′A′は直線ということから、角BOCと角BO′A′は共に180－60=120°。従って角BOAも120°となります。これで点Oの満たすべき必要条件がわかったわけですが、あと、そういう点の一意的存在をどうすれば示せるか。ΔABCの各辺を一辺としてΔABCの外側に正三角形を三つ描き、それらの外側の頂点とΔABCの反対側の頂点を結ぶ線分を三本引くと、実はそれらは一点で交わりそれが求める点になる、皆さん更に図を広げて考えてみてください。

この問題は、シャボン玉などのアブクの面同士が重なるところでは二つの面のなす角度がちょうど120°になる――表面張力、最小エネルギーの問題――ということの論理的根拠だそうです（小磯深幸「近道とシャボン膜の数学」第21回藤岡おもしろ数学教室、『数学通信』２０１７年、日本数学会より）。

（註）実は三角形の代わりに四角形を考えた場合のこの問題は俄然やさしくなり、答えもあっさり「二本の対角線の交点」、その証明も三角不等式を二回使うだけ（やって見て下さい）。ところが単に数値計算機に過ぎないＡＩにとっては、これですら「途方もなく難しい問題」として新井紀子著『ＡＩ vs. 教科書が読めない子どもたち』［Ａ］（第2章）で論じられています。興味深く、また何か嬉しくなることです。（ただし、ＡＩも、必要なこと、たとえば三角不等式を使えとかを必要なだけ教えられれば「できる」ようになるでしょうから、現状は知りません。）　では五角形では？（これも一応問題を意識するのはよいでしょうが、深入りはお勧めしません。）

第11章　音楽表現を支える数学的構造

音楽の深い表現力！ その源は「ゆらぐ調和と非調和」に、時間を止めれば「和音と不協和音」に、そして和音、不協和音の差は主に「倍音」の関係で生じるといえるでしょう。

(A) 純音、倍音、和音、音階　以下「音」としては楽音、つまり楽器（声も含む）から発せられる音をイメージしましょう。これらは様々な「純音」のカクテルで、その混ざり具合（さじ加減？）がその楽器の基本的な「音色」です。

(A1) 純音、フルート　では純音とは何か？ 正確な定義はさておき、まずはその特徴だけ述べましょう。とにかく一つの「高さ」の音しか含まない音です。楽器と音程（キー）をきめて音をだしても聴こえるのはふつう純音ではありません。基音となる一つの純音に加えてその倍音、つまり2倍音、3倍音（後述）なども同時に（もとの音より通常は弱めに）発せられるからです。

フルートの中低音は純音に近い、といわれます。それは倍音が特に小さいからです。バッハのマタイ受難曲やブラームスの交響曲第4番の第4楽章でのしっとり心に沁み入るようなフルート・ソロ、この音域におけるフルートは「倍音が少なく純音に近い音」で、それが一種の淋しさをかもし出すのでしょう。逆に声の豊かさは主に倍音の豊かさ。オペラ歌手の高音の、そのまた倍音たちの天井からの微かな反響が観客を魅了します。また低音バスの美声の魅力は基礎の最低音の低さだけではなくその倍音の豊かさにも大いに依存しています。

（A2）倍音、オクターブ　では倍音とは何か。音は空気の振動の縦波で、その「高さ」は振動の「忙しさ」つまり1秒間に何回振動するかの回数（単位はヘルツ）によって決まります。振動数が多いほど高い音です。一方、純音の正確な定義は章末（E）で述べますが、それは理想的に単純な振動であって、振動数（高さ）と振幅（音量）を与えれば一つだけに決まるというものです。純音の倍音とは振動数が元の音の振動数の整数倍（2倍、3倍、……）になる純音のことです。2倍音、3倍音……など。

高さがかなり近いけれど重なってはいない二つの音は「仲が悪い」もの。同時に鳴ると違和感、不快感を感じさせます。それは合成された音には大きな凹凸の波が、短過ぎも長過ぎもしない間隔で現れるので、それが「唸り」として聴こえてしまうからです。そして互いに近くない二つの音でも、それぞれの倍音も鳴るわけですから、倍音も含めてこういう不快な重なりが生じないためにはそれらの振動数の比がかなり特殊な関係にある必要がありそう、というわけで和音のもとになる音の組み合わせはかなり限定されます。

さて、倍音は普通の音楽用語ではどういうものか。まず

2倍音は1オクターブ上の音。

従って2オクターブ上の音は、その振動数が「2倍の2倍」ですから4倍音、3オクターブ上は8倍音、等、となります。では3倍音、5倍音などは何か？

（A3）倍音つづき、クラリネット　まず3倍音に関しては

ドの3倍音は（直上の）ソの2倍音

ドの4倍音は（直上の）ファの3倍音

いいかえると、

ファの3倍音は直上のドの2倍音

という関係にあります。「あります」というより、これこそが純正律におけるソやファの定義です！ドに対するファとソは2、3倍音の重なりによってきまっているのでした。ピッタリ調律されていないと和音が不快なものになってしまいます。

モーツァルトのクラリネット協奏曲、ドビュッシー、フォーレなどの名曲で親しまれているクラリネットは、3、5倍音など奇数倍音は豊かなのに中低音域では2倍音が少なく、そのためかこの音域ではやや虚ろなクラリネット独特の響きがして心が洗われることが多いように思います。こういう気分も言語では表せないでしょう。

（註）実際フレッチャー・ロッシング『楽器の物理学』［FR］（15・9）によると、クラリネットは中低音域（上は「標準音」直下の嬰へ）で殆んど完全に2倍音が欠落するのが特徴、とのことです。

（A4）純正律での音階の定まり方、ピタゴラス　次に「ミ」の決まり方は5倍音に依存しています。

ドの5倍音は（直上の）ミの4倍音

そして音階の残りの音は、

レの4倍＝ソの3倍、ラ、シの2倍＝レ、ミ（それぞれ）の3倍。

これらを合わせて長音階（長調の音階）ドレミファソラシドの隣同士の音の振動数の比が正確に定まります。「ドレ」で始まり「シド」で終わる七つの間隔それぞれでの振動数比を並べると分数七個の列ができますが、それを（純＋）と名付けるとそれは（学校で少なくもその結果を「事実」として教えるように）

（純＋）　9/8, 10/9, 16/15, 9/8, 9/8, 10/9, 16/15

となります。たとえば、ドレ間はドソ、ソレ（どちらも上がる）、レレ（オクターブ下げ）の3/2, 3/2, 1/2の積で9/8になる、というわけです。

なお、臨時記号は、振動数では、♯は25/24を掛ける、♭はそれで割る操作です。

では主和音の振動数比はというと、ハ長調のドミソは5/4, 6/5、ハ短調のド♭ミソはそれが6/5, 5/4と入れ替わるだけですが、イ短調のラミ間はドソ間よりやや狭い。おや（純正律では）、イ短調はハ短調より「より短調？」と何かを納得させてくれるような……。

とにかくドミソなどの和音が美しく響く理由の第一は、それらの主な倍音がキチンと重なって耳に入るからです。この「倍音同士がキチンと重なる」をいいかえるとそれらの「振動数の比が簡単な整数比」ということ。音楽と数学を結ぶこの発見は、ギリシャ時代の、直角三角形の辺の長さに関する3平方の定理で知られるピタゴラス学派によるものでした。
上の（純＋）の数列に現れる七個の数の積は、1オクターブの振動数比「2」にちょうど等しくなるわけですから「オクターブ内で、よい和音のもととなる音階列を選ぶこと」と「整数2を、1と2の間のいくつかの簡単な有理数の積として表すこと」の二つは対応していて、これは音楽と数学の密接な対応関係の一つの縮図といえるでしょう。

下の図は主な倍音の鍵盤上のイメージです。上付きの数字は何倍音かを示しています。この図は、書く「順序」が理解のもと、数分しかかかりませんので、眺めるだけでなくご自分で無から書いてみて下さい。できればもう少し右まで補充を！

（A5）平均律と「第九」における√2下降　前記の列（純＋）をやや大ざっぱに眺めてみましょう。その中で16/15の二つの間隔は短いのでその差を「半音」、残りの 9/8 または 10/9 は長いのでひっくるめて

［倍音図］

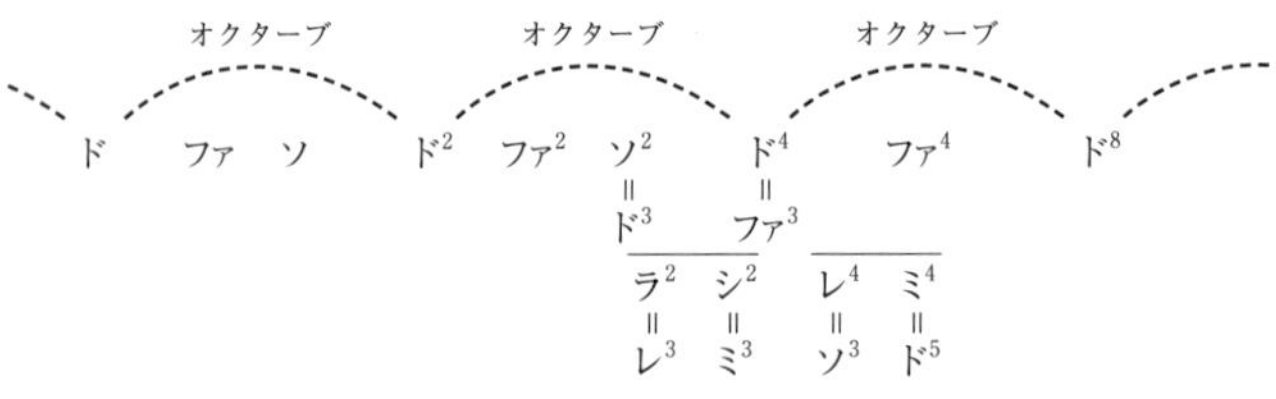

「全音」と呼んでいます。全音は半音二個分になるわけではないのですが、誤差は普通の耳で識別可能な差より小さいし楽器の演奏しやすさのため、半音二つで全音、そして1オクターブ（全音5、半音2）を12半音とみて（振動数比によって）平等に分割するのが平均律です。ここでは♯、♭は単に半音上げる、下げるになります。

せっかく倍音同士の重なりに気をつけて整数2を簡単な有理数の積に分解したのにこれではそれが全く無視されている……かというと、実はそうでもなく、かなり合理的な近似になっています。たとえば平均律では半音の振動数の比は2の12乗根でその数値は1.05946…、これと純正律の場合の16/15 = 1.0666…との相違は半音の10分の1程度です。

余談ですが、平均律では理屈上オクターブの丁度「中間」があります。1オクターブ開いた二つのドの間の、同一視された♯ファと♭ソで、ドとの振動数比 $\sqrt{2}$ = 1.4142…。「第九」でも、この$\sqrt{2}$下降が祈りのように出てくるところが印象的です（ダブル・フーガの次の（R）、二度目のイア・シュトゥルツト・ニーダー）。ベートーベンが無理数（有理数でない実数）を使った顕著な一例ともいえるでしょう。ギリシャ時代は、（$\sqrt{2}$など）無理数の存在が証明できてしまったことに驚き、これは神の恥ではないかと怖れて秘密にしようと考えたと伝えられています。それに対してかのベートーベンはその無理数をこれぞと思う大曲での神への祈りの部分で用いた、といえなくもありません。（念のため、これはジョークですから深くお考えにならないでください。耳で「振動数比が有理数か無理数か」を聴き分けられるはずがありません。聴き分けは点単位ではなく幅単位であり、どんな狭い幅にも有理数も無理数も入っていますから。）

（B）絶対音。標準音とその変遷　音階の

ドレミファソラシド

による表記は、その曲の「基音」が何であってもそれを「ド」と見做す「相対的音程」を表すのに便利です。でも選ばれた音の「絶対的な高さ」を表す「音名」表記も必要で、この区別を書かないと以後の記述が混乱しますのでここで復習しておきます。音名表記には、ドレミ……と対応させて別の文字列

ハニホヘトイロハ

CDEFGABC

（後者は英米式）が用いられます（加えて♯つきの嬰ハ、♭つきの変ロ、などがその間を埋める）。その定め方は、まず振動数440ヘルツ（1秒間の振動数）の音を「標準音」と定め、これを次に述べる特定の「イ」音の高さとし、あとは（純正律なり平均律なりによって）相対的に定めるので

す。そのイは「1点イ」と呼ばれる音で、ト音記号の楽譜でなら五線の中央近くの（普通の呼び方で）「ラ」の音、ピアノでなら中央少し右の「ラ」、ラジオの時報では最初の三つの予備音の高さがそれです。（時報の最後の高音は「2点イ」、ソプラノの最高音は「3点ヘ」のあたり。）時報に合わせて「イイイ、イー」と歌っていると絶対音感がつく……かどうか知りません。

（註）絶対音の英米式表記は、ローマ字音名に、どのオクターブ間かを示す下付き数字を添えて表します。標準音はA_4で、BからCに上るとき数字が一つ増えるという仕組みで、この方が便利かと思います。

そしてこの「440」自体も変遷してきています。あるメロディーを口ずさむとき、全体をたとえば半音上げて歌うと「より美しく」聴こえる、などと感じられたことはありませんか？　絶対音を知らずに口ずさみ始め、本当の音程はどうかな？　と思って試しに少し上げてみるとその方が美しく聴こえる。あ、これだ！　と思ったり……。規準とする絶対音程をお持ちの方では「それは絶対ない」ようですが、筆者のように気楽に相対音で楽しむディレッタントにはよくあることです。ともかく一般的に高いほうが美しく聴こえやすく聴衆を魅了しやすいことは確かで、そのせいか世界の主な楽団が使う標準音の振動数が徐々に高まってきてしまい、歌手の負担も危機的にまで至った。それで普遍的な「歯止め」として標準音が440ヘルツと固定されたそうです。以前、たとえばヴェルディが1884年にイタリア政府に要請して固定させた標準音A_4の高さは432ヘルツだった（軍楽隊のみが厳密に守ったとか）のが、時代が進みベルリンフィルやウィーンフィルでは440を超えたりもしている（いた）とのこと。これでは（半音の2/3位ですが）音程が上がってしまい、作曲者の意図ともずれてしまいます。自然な感情に基づくはずのものにバベルの塔のような高さ競争が持ち込まれている――このことを激しく嘆くベルリンフィルの元ティンパニ奏者の書[Tr]もあります。文化の危機への警告としてこれも注目すべき書物だと思います。「高いほうがなんでもよいわけではない」。

（C）転調

（C1）属調と下属調　平均律における長音階ドレミファソラシドの間隔の列を（平＋）と名付けると、それは（A4）の（純＋）によって

（平＋）　全　全　半　全　全　全　半

となり、ご覧のように「全が二つ連なる場所」と「三つ連なる場所」とに分かれています。ピアノなどの鍵盤での「黒鍵」の並びをイメージされたら、それ

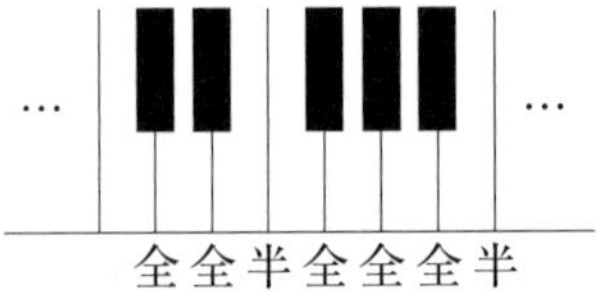

と対応していることを納得されるでしょう。これこそがオクターブの長音階への分割の特徴（平均律では唯一の特徴）ですから、今は間隔の列（平＋）だけに注目です。1オクターブ分しかここには書かれていませんがその前後は周期的ですから、以下の転調の説明では前後を適宜補ってイメージして下さい。

さて、転調とは（たとえば長音階から長音階への転調なら）

（i）スタート地点（基音）を任意に取りかえる

（ii）それによって乱れた「全」と「半」の並びを、いくつかの音を半音上げたり下げたりすることで（平＋）と同じにする。

そのうち以下の二つの基本的な「お隣さん転調」があります。

（属調） 3連「全」の手前の音「ファ」に ♯ を付けることで（平＋）を

全　全　半・全　全　半

にかえ、スタート地点を「・」の位置、つまり「ソ」に取ることで間隔の列としては（平＋）と同じにする。

（下属調）3連「全」の最後の音「シ」に♭を付けることで（平＋）をにかえ、スタート地点を新たな「・」の位置、つまり「ファ」に取ることで間隔の列としては（平＋）と同じにする。

全　全　半・全　全　半　全

属調のドは原調のソ、原調のドは属調のファ、調性（楽譜左端の♯または♭）では、属調は右側に♯が一個増える、または一番右側の♭が取れる。

下属調のドは原調のファ、原調のドは下属調のソ、下属調は右側に♭が一個増える、または一番右側の♯が取れる。

これら二つの転調は互いに逆の操作です――属調の下属調や下属調の属調は原調。

気分では、属調への移調は「高揚感」のイメージ、下属調は「落ち着く」方向と思います。

そして一般の転調は、属調、下属調どちらか一方への移行を繰り返した結果として得られます。

（C2）調性一般　ハ長調から出発して属調への転調を繰り返す、つまり調性指定の♯を右に一

個ずつ追加していくと

ト　ニ　イ　ホ　ロ　嬰へ

を冠する長調に、♭系だと

へ　変ロ　変ホ　変イ　変ニ　変ト

を冠する長調になり、最後の♯または♭が6個は、平均律では同じ調性です。ピアノならシとファ以外はすべて黒鍵。

先程述べたように、右端の♯の位置は「それを付ける前はファだった音に♯をつけてシとみなせ」、右端の♭の位置は「それを付ける前はシだった音に♭をつけてファとみなせ」でしたから、第9章で述べた「長調の調性の読み方」を納得いただけるかと思います。

一時的転調は、ご存知のように臨時記号（♯、♭、♮）で示されるだけです。歌などの場合、それが何度も繰り返されると煩わしい？　いや実は面白い！「その部分が実質どういう転調か」を知ればそれが曲想の変化とどう対応するかが「わかる」、それを知るには臨時記号が繰り返し付いている場所を確認し、それと符合して調性を心で修正しさえすればよい、そして音階で歌うためにもその調性に一時（心の座標を）変えて歌うほうが普通は楽だからです。

ちなみに♯6個の著名な例としてヴェルディの有名な「行け、わが想い、金色の翼に乗って」嬰ヘ長調（オペラ「ナブッコ」より、囚人達の静かで力強い合唱）があげられます。ピアニッシモ（というよりソット・ヴォーチェ）の斉唱がかもしだす迫力のすごさで有名ですが、途中輝かしい「金のハープ」のところは　ロにも♯がついて一時的には♯7個になります（平均律なら変ニ長調と同じ）。合唱団の有志で歌ったときピアノ伴奏の団員仲間に、黒鍵中心で弾きにくくないですかと尋ねたら、いやむしろ楽です、とのこと。「ドレミ」に相当するのが3連黒鍵で、黒鍵すべての上をぴょんぴょんと軽やか。

以上は長調の場合でしたが、短調の曲を楽譜をもとに音階で歌う場合は、第9章の補足で述べた平行読みで歌うのが簡単だと思います。

調性が与える色合い、イメージは作曲家によっても聴く人によっても異なり、たとえばモーツァルトならト長調は緑の明るさ、楽しさ、ト短調は言葉で表現しきれない彼独特の雰囲気、ヘ長調は安らぎ、などが筆者も共感する「よくある形容」です。

（D）属七和音、「ラクリモーザ」の入り口　転調は雰囲気を微妙に、また組曲やオペラではがらっと変える味付けで、音楽の醍醐味の一つでしょう。その切り替えによく使われる和音が「属七和音」です。簡単にいえば（切り替え後の調性の言葉で）

ソ　シ　レ　ファ　またはこれを展開した　シ　レ　ファ　ソ

の和音で、直後にシ↓ド、ファ↓ミ（または♭ミ）、ソ↓ソと移行して転調後の主和音ドミソ（短調ならド♭ミソ）に落ち着くのです。属七云々をご存じなくても、例えばモーツァルトのレクイエム（鎮魂ミサ曲）中頃のハイライト曲「ラクリモーザ」（涙の日）の印象が耳に残っておられる方は、それが始まる直前の「あの特徴的な」和音を思い出して下さい……。直前の「コンフターティス」は、激しい呪い（男声、イ短調）と静かな祝福（女声、ハ長調）が交錯し、それからゆれにゆれ、安らぎの和音（ヘ長調）に落ち着き、そしてフェルマータのあとオケがふっと奏でる「次のニ短調に繋げる」属七和音（♯ハ　ホ　ト　イ）です。それが主和音（ニ　ヘ　イ）のニ短調への転調の橋渡しになり、聴衆の「さて、……」と期待感を高める一瞬の静寂ののち、バイオリンがラクリモーザの前奏をおもむろに、静かに奏で始めるのでした。なんと重要な属七とフェルマータでしょう。

ちなみに属七の「七」の由来は何か？　ちょっとはずした表現で説明をするなら「指が仮に七本ある人が鍵盤で弾くのなら一、三、五、七の指で弾くから」でしょう。ただしポイントは（指の個数ではなく）一、三、五、七です。実は、三度、五度などは楽理で標準的な音程「差」の呼称なのですが、この呼び方はなぜか間隔の長さ「プラス1」で、同音を一度と呼ぶなど足し算と合わない（四度と五度を合わせると八度）、数学者から見ると「0と1の混同！」ですので説明の仕方をひとひねりしてみました。

さて、属七は次に「誘導する」和音ですが、それをちょっと縮めた「減七」（第14章）は不安定。あえて喩えれば

属七は「安定に向かう橋」

減七は「狭くて揺れる怖い橋で行く先も不定」

でしょうか。どちらも後のモーツァルトのオペラの話（第14章）の鍵になります。

(E)　音の波形と純音　数学的な補足です。まず次ページの図をご覧下さい。二つのグラフが重なっています。それぞれが音の波形と呼ばれるもので、黒が純音の波形、灰色が（ある中音域の）クラリネットの音の「想定波形」です。では波形と純音について説明しましょう。

一つの音源から連続的に発せられる音を特定の場所で受けているとします。この場合、音の進行方向と垂直な面にかかる音圧の

揺れ部分P（気圧との差、単位は例えばパスカル）を

時間t（秒）の関数と見たもの

が（そこで聴こえる）音の実体です。音圧が「押すか引くか」によって値の正負が入れ替わり、それが時間につれて波打っているわけです。tの関数Pのグラフがその音の「波形」です。同じ音が続いている限りPはtの周期関数で、その周期は（音楽で同じ音が続く長さに比べると桁違いに短い）数百分の一秒です。「純音」とは、座標の目盛りの簡単な一次変換によってその波形が（弧度法の三角関数サインを使って）

$$P^* = \sin(t^*)$$

と表される音のことです。これはたった一つの波形ですからそれぞれの純音の特質はその座標変換

$$P = AP^*,\quad t^* = 2\pi H(t - t_0)$$

に出てくる定数が決めています。

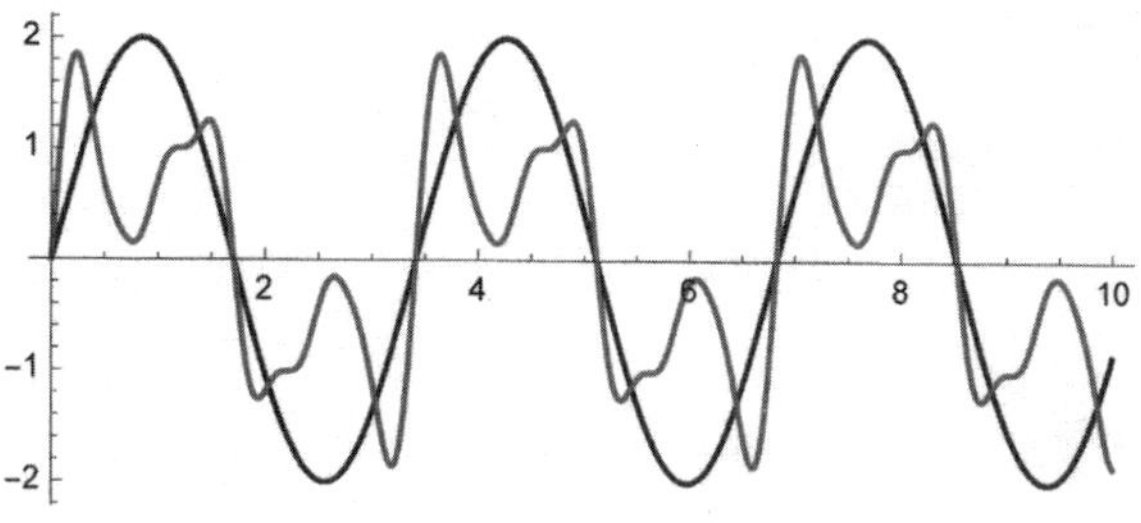

まず正の定数Aは振幅とよばれ、音量と対応します。実際その対数が音量（デシベル）とほぼ比例します。次にHは1秒間の振動数（ヘルツ）で音の高さを表します。この場合もその対数が鍵盤上の大まかな位置と比例します。そして「下付き0」のtは音圧が負から正に変わる瞬間の時間（の一つ）です。

純音は「高さと大きさ」を決めるとそれに対して唯一つ定まる「理想的に単純な音」とも言えるでしょう。同じ音量でn倍音に移行すると波形は横方法だけn分の1に縮めたものになります。複数音の合成音に対する音圧関数Pはそれぞれの和です。多くの純音の合成音の波形はそれぞれに応じて複雑な曲線になります。ヘルツの比が有理数なら和も周期関数になり、グラフの形がその音色を決めます。

それでは図の説明に戻りましょう。横軸（時間軸）の目盛りの単位はミリ秒で、このグラフは約3周期分です。どちらのグラフも音程D_4に対するもので、従って振動数は標準音A_4の440ヘルツの3分の2です。単純なほうのグラフがその純音の波形です。一方、より複雑なクラリネット関係の波形は［FR］（図15・14(b)）に基づいています。右半分のスペクトルの表によるとこの音程のクラリネットの主な倍音は（基音である1倍音も含めると）1、3、4、5、7倍音であり、それらの振幅の比は、ほぼ10、9、3、3、1.5です。これらを元に直接計算した波形がわれわれの図で、それは上の文献の波形図の3周期分と（縦軸の目盛の取り方の相違以外は）ほぼ合致しています。

夜想部

第12章　夜想転想

夜中とか明け方ふと目が覚め、寝る以前に考えていた内容に対して「あれ？」と別の可能性、別の路線に気付くことがしばしばあります。喩えてみれば木登りの途中で夜になり、そこで寝入り、目覚めたらちょっと落ちた所にいてそこからは別の枝の上部が見えていた、というような。自分にとってはこれが研究の推進の上で大きな役目を果たしました。別の枝から登る可能性に気付くわけですから。そこを具体的に書くのは専門的になりすぎて困難ですが、実はそういうことは研究対象に限りませんでした。

たとえば、大学の教師として昼間携わった大量の答案採点のあと、夜中にふっと「あの採点あれで良かったのかな？」と特定の答案のことが気になったことが一度ならずありました。その場合、当然、非常に気になってきます。メモをしてから寝て、翌日確かめ、採点を修正して「ああ良かった」と思ったものです。完璧な答案や逆にめちゃくちゃな答案ならこういうことは無論ないのですが、曖昧さの残る答案の記述の中で多分「ある善意の解釈の可能性」にふっと気付くのだと思います。上記の喩えでいえば、採点者が夜の睡眠中に公園の樹木の枝からシーソーの一端に落ちて他方の端にいた受験生を跳ね上げるという図でしょうか。私は宗教の信者ではありません。でも、ふっと授かるこういう気付き方には「福音」という言葉がピッタリ当てはまるのではないかとも感じます。重要な意味をもつ採点なら特に、です。ちなみに非常に優秀な受験生のグループの答案のうちには想定外の面白い論点が入っていたりします。そうした場合は採点者同士で知らせ合い、一緒に感心し、参考にします。採点で採点者が教わることもよくあるのです。これらも含め「知の出会い」はひとときのとまどいの後に福音をもたらす――ということでしょうか。

昼間の採点時に気付かないのは怪しからん、と思う方もおられそうですが、何かがわかる、気付く、とはそういうものではありません。研究材料の要素を含んだ独創的な答案もあるからです。仮に（わりに最近その可能性が検討されたように）論述試験の採点をアルバイトまたはＡＩとかに任せたらどうなるか。答案はアルバイトのレベルでしか理解されないし、ＡＩの仕事は統計処理ですから、いずれにせよ想定外の答案のよさは完璧に無視されてしまうでしょう。優れたものは「すぐれた人」――こういっては何ですが、つまり隠された可能性に気付ける人――にしかなかなか（いや、絶対）理解されないし、統計処理では無視される。そういうのを落とすような試験を試験とよぶな、と言いたいです。新井紀子氏が「数学の答案は、数学者しか本当の意味で採点できない」と書いておられました（[A] 第3章）が、まさにそれ。

ここで話を一般化すれば、管理者にとって想定外なものは必ずしもわるいことに限らない、ときの管理者の考え及ばなかった優れたものも沢山あるということですね。

さて、枝の喩えでいうと、さらに下まで落ちて「大空だけが見える」と、また別の視点からの感覚になるように思います。

こんなことをしている自分（の「人生答案」）は何？と、我に帰らされるのでしょうか。そしてやや、うつ的な気分を感じるときもあります。明け方に近いほどです。これは私だけではないようです。数学の大先輩のある大家について奥様が、明け方に目を覚ましては泣くんですよ、というお話を（ご本人のおられるときの茶飲み話として）されたことが印象に残っています。そのときは、不本意にも重い管理職につかされたからかなと思っていましたが、より根源的だったのかもしれません。寝入ってから時間がたった朝に近いほど「より下」に落ちる、というのはあたりまえのような気もします。答案の件は真夜中ごろだったような気がします。

夜中に目覚めて気付くのはどういう生理作用でしょうか。急いでその解釈を試みるより、「のっている」時期にはそれが日常的であった自分の場合を再度思い出しながらその現象をなるべく忠実に記してみます（数学以外の、たとえばこの原稿と対話している今でもそうですから昔だけの記憶ではありません）。

とにかく昼間は、「対象に集中」して自分が「前方」と思う方に向かおうとしています。そして夜中に目が覚めたときは、その「対象」に対して「昼間気付かなかったこと」に気付いたか、または「後退した位置の『自分』、つまり昼間の出発点よりむしろ後退した「別の位置」にいて別の方向から対象を眺めている自分」に気付いたかのどちらかのようです（「別」の度合いは様々で、どうやら眼醒めの時間帯にも依存するらしい）。

目が覚めてそれから考えてそうなるのではありません。目が覚めたとき既にそうなっている自分に気付くのです。ですからこれは無意識の生理作用（いや、重力の作用？）でしょう。

以上は筆者の場合ですが、それほど例外的ではないと思います。その一方、多くの数学者に共通というわけでもないようです。とにかく筆者の場合は昼と夜の思考の転換がなかったら全然違ったと思っています。「われ夜めざめ思う、故に今のわれあり」はささやかな実感です。

第13章　理感的わかり方

能力の限られた自分のようなものでも数学の研究者としてある程度の貢献ができた?!　これには正直、驚いています。再度自分のことで恐縮ですが考えてみると、もしすぐれたところがあったとすればそれは「わかった」の自己ハードルが「やや高め」だったことに尽きるのではないか、そしてもし意識の持ち方が主な分かれめだったとすると、それは次世代の方々にもいささかの参考になることかもしれない――という思いで以下を書かせていただきます。

(A) 自立　意識の持ち方、その第一の分かれめは勉強とは何か？ についてでしょう。この問に対する標準的な答えは

(習) 与えられた知識と方法を習い、試験に受かるようにも努めること。

もう一つは（対立点を浮き彫りにするため、やや極端な表現で）、（探）自分の精神を驚かせ目覚め成長させてくれる「何か」を探すためのもの。内容の大切なポイントは自分流の簡潔な強い印象で把握しなおしてやろう、そうできないものは取り込まないことにしよう。

まず、社会で活躍できるためには基礎知識や専門技能を身につける必要がありますから（習）が基本であることは疑いないでしょう。何を学ぶにせよ（習）にときどき戻る、または両足のうち一本は（習）に置く。

一方、「社会」といっても個性ある個人が集まってつくるもの、各個人が特に興味をもつテーマでは（探）の意気込みが大切で、これこそ勉強、そしてこれは「特殊な天才のみに許されることではなくはじめからこうやっていれば結構そういう能力がついてくるものであり、それは保障してよい」とは2005年初出の拙著『志学数学』の主張でした（［Ih－1］Ⅳ－2「理感」）。無知で判断力のないうちに（探）の姿勢に終始するのはむろん危険です。そもそも「習」の欠けた「探」は、遅かれ早かれ、行き詰まってしまうものです。でも、ポイントは、このくらいの覚悟で「探そう」

と思うと勉強も俄然面白くなる、というところにあります。

そして勉強が当人の心にどう影響するかは、（習）では

　圧力→真剣→苦しみ→わかったわかった、早くすませたい！

となり勝ちですが、（探）では、

　選択→楽しみ→真剣→自己ハードルが自然に高まる

と進むことが期待できる。筆者の場合を後輩の眼でみると「先生の自己ハードルは『やや高め』どころではなかったですよ！」ということはどうやら、「探」の力で「自然にそうなった」のでしょうか……。

（探）の進め方ですが、まずよい教材を選びそれをしっかり勉強するのですが、本を開いて読んでいる時間の長さよりも、そのあと（探究心を眠らせずに）

　本を閉じて内容を想起する試みをどのくらい丁寧にするか

これが大切だと思います。本を閉じて内容を想起するのはなかなか困難、とまず悟るでしょう。その内容はまだ本の中だけにあって、自分の中には入りきっていないことがわかる。これが第一歩。

それでもう一度同じ箇所を読む、閉じる。次には一応想起はできても肝心なポイントはまだあやふや。そこで自力でそのあやふやにピントを合わせようとしてもまだできない、もう一度本を開いてそこを確かめる、そしてそこが「こうだった」とわかるときは何らかの必然性も込めてわかるはず。「この条件のもとではこういう結果になる」を

「たしかにそうだな」とフォローするだけではなく

「なるほど、この条件のもとでこそ、だな」

というポイントまでわかったほうがストンとくる。それで初めて驚きをもって、その意義までわかるというわけです。本の内容が「自分の外の世界のもの」ではなく「自分としても発見したもの」、「自分の内で成長するもの」になります。探究心も満たされ、嬉しいという「ドーパミン」も出ます。感性を伴うこのわかり方を、上記拙著から引継いで「理感」とよびましょう。

内容を暗記しながら進むのとはちょっと、いやかなり、違います。上のステップを焦って急いで進めようとすると暗記的になる、つまり、関連の必然性の感覚こそ大切なのにそれが育つ前にばらばら憶えてしまおうとするので、一番大切な関連性への把握力が育ちません。脳にとっても海馬の負担が主になり、シナプスを増やす方向には働きそうもない。もっとゆっくり「楽しみながら」や

らなくてはいけません。途中の段階でも、これはつまりこういうことだろう、と自己流にまとめてみて、しかるのちその誤りも悟る、そういう思考錯誤も楽しみながら遊び心で勉強するのです。たしかに時間もかかります。合間に「夜」も必要。でもバラバラ暗記したことはそれのみにしか応用できないのに対して、こういうのは実地体験に近いので汎用的です。

固い言葉で書きましたが読者諸氏がとっくにお気付きのように、そう、いいかえれば

「イメージしよう」。

理感的にわかるとはイメージできること、そしてイメージを修正して的確さを増していこう、これが受け身の勉強を個別の暗記で乗り切ろうとするのとの基本的な相違でしょう。結局これは、志向の上での（習）、（探）の相違がもたらす実際的取り組み方の相違、ということだと思うのです。こうやっていて段々と悟る[*]のが

（探）こそ勉強であり、精神的な自立への道

ということ。これらでおおよそ言い尽くしているようにも思えますが、段階を追ってゆっくり繰り

返しましょう。

（＊）学校での筆者の具体的体験を近著［Ih－2］で述べさせていただきました。

(B) あ、わかった！　わかったときは驚きと嬉しさで「あっ、そうだったのか！」と思わず叫びたくなるでしょう。傍からみてもわかる「鋭さ」を伴った反応です。有名なのはアルキメデスが風呂に浸かりつつ浮力の原理を発見した時、裸で飛び出して町中を走りながら「Eureka !」（われ発見せり）と叫んだという逸話です。18－19世紀の大数学者ガウスも、若い頃、数論のある定理を発見したとき日記帳「ライステ」にこの言葉を残しています。私がこの種の「叫び」を身近で耳にした記憶は、1990年に東大の理学部から京大の数理解析研究所に移った当時、向こう隣の研究室に代数解析の柏原正樹さんがずっと居残ってドアを開け放したままで勉強しておられましたが、ときおり（ふだんは静かな彼から）「アーッ」とか「オーッ！」とか聞こえてきて「大学」から「研究所」に移ってきた、と実感しました。（筆者自身は手をパンと打っていたように思います。）

何かを誰かに説明するとき「驚くべきところで驚いてくれると嬉しい」し、反応が鈍いと「この人は関心が薄いのだろう」と感じられて先に進めません。逆にひとの話を聞くとき、私は驚くべきポイントがわかるまでしつこく質問することが多いので、わかって「くれた!」と感謝されたこともよくありました。――ただし、その記憶をたどって思い出せるのはほとんどが欧米においての話でした（なぜでしょうか）。

(C) 選書　書き加えるべきことがありました。それは優れた著者による良い本を選ばなくてはいけないということ。これは第1章と重なる話です。それ以前から本物の文化に親しんできていれば、それによって培われてきた鑑識眼が異分野でも自然に働き「あ、これは本物」「これは物足りない」といった最初の（そして正しい可能性の高い）判断が得られやすくなります。関連して、著者への信頼感を持って読めることが大切です。仮に推理小説ならどうでしょう。構成がいい加減だったら読者がときどき本を伏せて一生懸命犯人探しを試みても最後に裏切られたと失望するのがオチでしょう。著者を信頼できてこそ途中で一生懸命考える気がおこるわけです。本格的な勉強のための書物でも「途中で本を伏せて考える値打ちがある」と思えることが前提なのです。

では、数ある類書の中からどうやってまず候補を探し、一冊を選べばよいのでしょうか。ネット検索にしか頼れないのは不幸だと思います。また、自分と背景が異なる先輩の言うことはそれほど当てになりません。たとえば大学生なら、良い（そして元気な）先生との出会いを求め、講義の後にでも押しかけて自分の特徴をさらけだし、選書に対しても個別のアドバイスを受けることでしょう。キャンパスには宝が沢山埋もれています（「リモート」では得られ難いのでコロナ禍の現時点では言いにくいことですが）。そして候補書は、図書館などでパラパラでなく一章でも「丁寧に」読んでみた上でそのときの自分に合っているかどうか判断すること。そして勉強が上記の（探）の意味の場合は、是非原典も紐解いて下さい。原語の生きた表現を含め、驚くほど新鮮なものを感じとれるでしょう。

以上は専門的な勉強の場合を念頭に述べましたが、中学高校の段階の話も付け加えましょう。まず、アンチョコ的なハウツーものですませようとするのは邪道です。アンチョコは要点の丸暗記のため、または「自分のレベルを上げるという苦労をしないでもこうやれば楽にマスターできるよ」というのが売りの商業的産物でしょう。ついでに高校生向けの YouTube の中には不良品もありますから要注意です。先生の外見や元気さの魅力に比して内容の整理がお粗末で、これではわかるはずがない——わからなかったら自分を褒めるべきだと思える——ものも散見します。

実はもっと心配なのが教科書です。最近、ある教科書図書館で高校の教科書をいくつか眺めましたが、内容の質は良さそうなのに綱目羅列的でつまらなそう、と心配になったのです。

「勉強は本来面白いものでその面白さを生徒に伝えたい！」

の発想で作られてほしいのですが、たまたま手にとった少数の（理科系の）教科書は「君たち大変だねー、最低限これこれこれだけは憶えてね、あとこれとこれも！」といった「表情」。つまり「探」の要素には目をつぶり、ひたすら「習」の支援に専念している雰囲気がありあり。具体的にいえば、綱目が多い割に説明が浅い、「そのこころ」がわかる説明ではない。これでは面白くない事を沢山暗記せざるを得ない。なぜ説明が広がり深まらないのか？　教科書の内容と共通試験などの出題範囲との対応に几帳面すぎるからか、もともと勉強はつらい義務といった抜け難い価値観のせいなのか。いろいろ考えさせられます。なお、筆者は他国の教科書を生徒として体験しており、それとの比較も念頭にありますから「空論」ではないつもりです（［Ih－2］§3）。

（D）理感の表現　では理感によって実際に感じた印象を自分の中でどうまとめ、表現し、場合によっては人にも伝えるか。感性的理解を求めるのが自分にとって重要だった理由の一つは、それによって内容の軽重への感覚が得られ、あとの細かいことは忘れられるからでした。普段は忘れっぽい筆者が「よく憶えている」と驚かれもしたのは理感的まとめのためだったのかもしれません。印象深かったことは長く記憶され、それを軸に思い出せますから。印象を自分のノートに書き留めるのが第一でした。万葉集の長歌に対する「反歌」の感覚で、学んだばかりの数十ページの内容「の印象」を自分なりにまとめてみてはどうでしょうか。

まとめる際のポイントですが、何か理論を勉強した際は、その特徴をくっきり把握して自分流に表現してみること、たとえば

この理論は、何を犠牲にし何を生かして生まれたのか

という観点で考えてみるのはどうでしょう。その理論が創られた際の動機が実際に何であったにせよ、のちの第三者がこの観点から眺めてみることには十分な意味があると思います。

曲線に囲まれた図形の面積を計算するには細分してマスの数を数える位しか「一般的方法は」ないけれど、デカルト式の座標系のもとで比較的簡単な方程式で描ける曲線の場合「に限れば」、微積分法によって定積分の計算に帰着し、不定積分はできない場合でも定積分だけなら複素積分で（留数の定理を使って）求まることもある——これらの発見、発明がニュートン、ライプニッツ、コーシー、リーマンなどの偉かったところ（の一つ）でした。

ある時期の整数論の一連の群論的発展は、素数冪《べき》次の「ガロア拡大」に関心をしぼり冪指数を無

限大に持っていったためにp進解析の手法が使えるようになったことによるものでした（シャファレヴィッチ、岩澤など）。また佐藤幹夫氏の概均質ベクトル空間のゼータ関数の理論は、ゼータ関数の主な特性のうちオイラー積を犠牲にした「より広いゼータ関数」を探したから見つかった、ともいえるでしょう。

そしていずれの場合でも、創始者をただ神のように担ぎ上げるのは「本当の偉さをがわかっていない」か、または「それによって自分自身の立場を作ってそれを守る必要がある人か」、どちらかではないかと私はかねがね観ております。

(E) その他

(E1) 「理感」に近いと思われることがその後に出た『新・学問のすすめ』（阿部謹也、日高敏隆共著［AH］）に書かれています。その中の「分かることは自分が変わること」の中にこういうやり取りがあります。

日高「根本進さんという漫画家が非常におもしろいことを言っていました。「分かる」ということは感覚的な問題だというんです。物理の話というのは理論的にできているはずだから、きちんと説明を受けていけば分かるはずなんだが、やはりどうしても分からないというんです。それが分かったというときは、要するに感覚としてつかまえているわけだから、そういうのを彼は「感覚ナイズ」といっているんです。「感覚ナイズ」されないものは分からない。あるいは分かるということは感覚ナイズできることなんだ」と言っていました。それをものすごくよく覚えているんです。だからたとえば講義をしていても、聞いている学生が「分かった」というときは、なにか感覚的にストンと落ちるということだと思うんです」

阿部「イメージができるんですね」

日高「そうすると「目からウロコ」ということになって、まさに自分が変わるんでしょうね」

（後略）

なお「感覚ナイズ」は造語としてわかりやすいですが「うーん、こんな日本語を？」。そして「理感」に筆者が込めた意味は不十分にしか反映されていません。

（E2） 池谷裕二著の『脳には妙なクセがある』［I－1］も最近新たに興味をそそられた一冊です。「学習に重要なのはインプット＝見聞 よりも アウトプット＝想起」との研究結果の解説もありました（第13章）。本を見ているときはインプット、本を伏せて思い出すのがアウトプット、ですから上の主張と符号しています。加えてメタファーの話（第20章）も本書の（後の）内容と関連します。

また睡眠が記憶にとっていかに重要かの説明として「睡眠中は記憶の整理と定着が交互に行われている」（第23章）も述べられています。

（E3）感性も寄与した進化論のアイディア　科学分野の発見発明に研究者の感性が重要、という話は、筆者も多く読み聞きしており、その都度（自分なりに）思い当たったり共感したりとなります。ここではダーウィンの古典的例を一つだけ引用します。彼の進化論の基盤は、巨視的、微視的双方の観点からの観察と考察ですが、ビーグル号日記の最後のまとめの部分の中にそれぞれの感性が如実に表現されているくだりが見つかり、なるほどと嬉しく感じました。その中から変異の観察に関連した微視的（繊細系）感想を引用しましょう。［D］の［D-Online］より、But there is a growing pleasure in comparing ……で始まるくだりです。この二段落を

「文化の土壌でのダーウィンの根（ここでは微細毛根の部分）のあり方の簡潔な記述」という観点でお味わい下さい。

——風景の特徴を「比較」することに「いや増す喜び」を感じる。単に絶景を褒め讃えるのとは少し違う。この喜びはそれぞれの風景の「個別の部分にさらに馴染む」ことによってこそ得られるのだ。そして自分は次の信念に強く導かれた。

——音楽に於いても楽譜の細部まで精通している人が、もしよい音楽性を持っていれば、全体をより完璧に楽しめるが如く、精緻な光景を細部まで検証してこそ人は全体とそれが及ぼす影響も理解できるのだ——。

第14章　感情表現を支える構造――モーツァルトのオペラより

前章の「理感」をいいかえると、ある構造を「理感的に理解する」とはそれが「自分の調和感覚と符合する」という喜びを味わうことでした。この章では、逆に、感情が主役のある種の（いや、多分多くの）芸術では「その微妙な表現が如何に繊細な構造によって支えられているか」これを垣間見てみましょう。余裕からくる機知的な要素が豊かな西洋のクラシック音楽、その代表としてモーツァルトのオペラより。

(A) 序奏　オペラというと「セレブのサロン」「通《つう》が威張る」「密やかな感情を大声で苦しそうにさけぶ」など負のイメージも流布していますので、まず弁護を。「いや、手頃にでも神髄を味わえて実は非常に楽しいですよ」と。そしてフランスで聞いたこのユーモラスな表現も味わってみて下さい。

「モーツァルトのオペラを知らない人は実に幸せである、なぜなら人生最高の喜びを味わう最初の機会をたっぷりと余生に残しているのだから！」

ちなみにフランス人はこの手の表現が実に上手ですね。たとえば１９８０年代、東西ドイツが統一して強大になるのを怖れていた頃のひねった言い分が「われわれはドイツが好きだ、だから、たった一つしかないよりも二つある方がよい！」。

さて、感情表現では

（時間を止めれば）「調和と非調和」の対比が基本的要素

音楽でそれぞれを代表するのが「和音と不協和音」

それぞれの特別な例として「音階と減七（後述）」があります。

（音階）単純音階だけによる悲しさの表現の極みとしては、筆者はヴェルディの「椿姫」で失意のヴィオレッタが賭けごと騒ぎをよそにカーテンの手前で「ああこんなところに来るんじゃーなかった」と三度なげくところ

ミ――ファ――ソ――ソ♯――ラ――シ――ラ――「ソ――ソ」――

ソ――ファ――ミ――「ミレド」――ミ――ミ――（下の）ラ――

（8分の6拍子、ヘ短調の平行読み）が一番好きです。単純なのに情況にピッタリ、情況にピッタリでしかも単純。ただし、これは歌手がそのまま歌うもので、通俗性と紙一重と言えなくもありません。一方、モーツァルトの音楽は（器楽曲も）それ自体が「歌」ですが、音階はむしろオーケストラの伴奏のなかに出てきます。

（減七）うす気味悪さ、不安、異常性、衝撃的、など言葉では表し切れない微妙な気分を音楽的に区別して表現します。オクターブ差を無視すれば、それは1オクターブ半音12個分を半音3個分ずつ等差的に分ける四つの音からなる和音です。たとえばソ♯をシレファに加えた四音で、属七（第11章）のソシレファが半音縮まっています。非常に効果的に使われてそれ以後大いに流行ることになった最初の古典的な減七の例として、バッハのオラトリオ「マタイ受難曲」がよく引き合いにだされます。それはイエスかバルバかどちらが釈放されるべきかを問われた民衆が

「バルバなり！」

と叫ぶところ、悲劇的結末を決定づける運命的なこの瞬間での減七和音（ここではレ♯、ファ♯、ラ、ド）です。1オクターブを「輪」と見做せば、「減七」の四音は等間隔に分布しており、それぞれの役割りは平等、というより不定です。従って次への和音進行には（他の和音の場合よりも）自由

度が多いわけです。これは人の心の「不安な気持ち」、中心がなく行く先不明、に似ていますね。ですから、様々な不安とその進行の音楽に減七がうまく使われれば言葉以上の表現力を持ち得るということがうなずけると思います。

これらが効果的に使われている曲として、モーツァルトのオペラ「魔笛」と「ドンジョヴァンニ」の中から一、二曲ずつ選んでみます。

(B) 魔笛より

(パパゲーノとパパゲーナの二重唱) パパゲーノとパパゲーナという三枚目カップルによる天国的に楽しい二重唱について。モーツァルトの天才ここでも躍如です。

パパゲーノは森に住む小鳥の狩人で、愛すべき素朴なキャラです。ひょんなことから主役の王子の決死の冒険に従者としてついて行くことになりました。そして彼には難題の「食べるな、沈黙を守れ」の試練につきあわされます。おしゃべりですぐ口まねをするのでオウムにちなんでパパゲーノとよばれているのです。性格単純で、欲しいのはワインと恋人。ある日本語上演では、ワインを一口飲んで「天下一品！」、二口目で「天国の味！」、そして三口目ではちょっとボトルのラベルを見て観客に向かって嬉しそうに「テンカブツ（添加物）なし！」と笑わせたことも（原語では

Herrlich, Himmlisch, Göttlich ですが、うまく訳したもの)。

フィナーレ近くになって、やっとやっと授かった恋人パパゲーナ（山ガール?）にも「しまった、逃げられた……」と世をはかなみます。あわやというところで「三人の童子」に諭され、魔法の鈴を振り「あの可愛いパパゲーナ」にやっと対面できた、というところで二重唱が始まります。二人は駆け寄りながらパ、パ、パと歌い始め、すぐさま子供をつくる話に――

「神様に子供を授けていただけたらどんなに幸せだろう／でしょう!」

と盛り上がる。オケの浮き浮きした盛り上げ方や、からかうように下げたりするところも可笑しい。パパゲーノの他のアリアと同じくト長調ですが「子供をつくろうの話」になったとたん、それに呼応してパパゲーナが「なんたる楽しみ（フロイデ）」と一気に盛り上がります。ちなみに彼女の歌はこの曲が最初で最後、そのせいか気のせいか、ここぞというフレーズで小柄な歌手でもビックリする程「声が出」ます。盛り上がりは音楽的には「♯が一つ増えて」この場合はト長調から属調のニ長調に。そしてパパゲーノが

「まず最初に小さなパパゲーノを!」

と歌うところのオケは、（ほぼ「ニ」の音を連ねるだけの歌に対して）ニ長調の音階を一気に1オクターブ登るのですが、

「次に小さなパパゲーナ！」

と歌うところでは、二人目をつくってよいのかがちょっと心配になったのか、（歌の音程は殆ど同じですがオケでは）途中一カ所の♯がとれて再び元のト長調にもどる、という作曲家の芸の細かさも楽しめます。ドレミで歌ってみてください（アレグロ、4分の4拍子、1文字が8分音符（連符）です）。基音をドと読んで平行移動すると

―ドドレミ　ファソラ「シ」―ド…（第1子へ）

が次は同じ高さから（ドレミの所をソラシと読みかえて）

―んソラシ　ドレミ「ファ」―ソ…（第2子へ）

となり、「　」のところが第2子へ、の歌では半音下がっているわけです。（ちなみに筆者がこういう細かいところに気付いたのは、合唱団の後輩の結婚式の余興でこの二重唱を歌わせていただいたとき、そのピアノ伴奏からでした。）そして歌はパパパパパパ、オケはジャカジャカジャカ、で歯切れよく終わり、二人は手を取り合って走って拍手の中、舞台を後にします。

前述のように、この音階は歌では歌われず「オケだけ」です。微妙な表現は歌手によってではなくオケが表現している、こういう点、日本の伝統芸能とも相通ずるところありです。

（夜の女王の最初のアリア）　最高音F_6（3点へ）のコロラチュラ・ソプラノの囀りで有名ですが、この囀りは女王の「号令」。そこに入る前に「拉致された娘をどうか救ってほしい」と母の気持ちを切々と訴えるラルゲットの部分も実は聴かせどころで、ここのオケには減七和音が度々出てきます。減七は次への和音進行の自由度が広く、移ろいゆく不安がよく伝わってきます。実際「娘を」にあたるドイツ語のihrと呼応するようにオケでは（使う音のセットによって分かれる3通りすべての）減七が。

ドイツでの魔笛の演奏ではよく子供達も一杯いて開演前はワイワイでした。そしてたとえばミュンヘンの小さな半円型の劇場（ゲルトナープラッツ）では本当にこの音楽を愛する観客――筆者は当日売りの二階立ち見席――と舞台が真に一体となって進行していました。求心力の中心はもちろん舞台で、盛り上がるにつれ客席が舞台にぐんぐん引きつけられていく、その一体感と幸福感がこたえられませんでした。

なお、東京の二期会の公演にも度々行きました。その初期の話としては、魔笛ではザラストロ（「夜の女王」に比していえば「光の王」）の大橋国一さんの素晴らしい低音、中沢桂さんの夜の女王の輝かしいコロラチュラ・ソプラノ、立川澄人さんのはまり役、ユーモラスなパパゲーノなども堪能することができました。

(C) ドンジョヴァンニより　歌劇「ドンジョヴァンニ」。登場人物は、まず主役は若い貴族ドンジョヴァンニ（ドンファンのイタリア語バージョン）です。名前の通り「女たらし」で、それはどの解説書でも強調されていますがあまり強調されていない彼の特性が、貴族としての誇りと毅然たる姿勢、そして「サービス精神」の旺盛さで、これらも同程度に印象的です。彼の歌すべてにこれら三つの要素がよく表現されていると思います。

その従者レポレロは怖れおののきながら主人のまわりを「ぐるぐる回り」、ときには影武者にさせられたりします。第一幕も第二幕も冒頭はレポレロの愚痴の歌（第二幕はドンジョヴァンニとの二重唱）で始まります。レポレロの歌の「含み」を味わうだけでも楽しい、これは喜劇です。主役もストーリーからいえば憎むべき人物なのにモーツァルトの音楽に包まれるとそれを忘れさせられ、毅然としているからこそ魅力がある、と感じさせられるのはなぜでしょう。

この二人を中心に三人の女性、そしてその女性陣に関わるサブの男性陣も登場します。女性の一人ドンナアンナは幕開けの直後に主役ともみ合って現れ、助けに出て来た父親の騎士長は決闘を挑んでドンジョヴァンニに殺されてしまい、このオペラは筋としてはその復讐劇です。

三人の女性もそれぞれ個性があり節回しの特徴の相違――いつも高低差が激しいエルヴィラの恨み節など――も面白いと思いますが、私の嗜好ではこのオペラの主役は断然男性陣、それもドンジョヴァンニ、レポレロ、石像の三人です。とにかくドンジョヴァンニが声も姿も立派で堂々としていないとつまりません。「われこそはドンジョヴァンニ！」で最後まで自分の美学を通してくれないと。（どうも、音楽からでないこの曲への入り方をされたらしい演出家などで、やさ男になったりがありますが、いただけません。）

第二幕の後半、殺された騎士長の石像に出くわしたドンジョヴァンニがレポレロに命じて石像を晩餐に招待する「月夜の墓場で震えるレポレロ」の音楽も絶妙。そして招待に「シ――」（＝イエス）と頷いただけでなく実際にやって来た！という所から最大の盛り上がりへ。

まず石像の登場。宴会の最中に戸を叩き、レポレロがこわごわ開けると……その途端の大音響がオケの減七和音、そして続く属七和音、これらが非常に印象的です。やや楽天的なヘ長調から「突風」とともにニ短調へ。ここではトロンボーンの長く引きずった導音（シに相当）が特に耳に残ります。この場合

「一体何が起こるんだ?!」

という瞬間的な怯えの表現です。そして石像が、ドンジョヴァンニよ、さあ聞け！

ドーンジョ　ヴァーン　ニ――
ソ　ー　ソ　（上）ドー　（下）ド――
と威圧的に歌い始め、石像、ドンジョヴァンニ、レポレロの三重唱に入ります（以上、ニ短調の音階読み）。


石像は短調全音符による最後通告に至るまで「一音一語」をしっかり強調、ドンジョヴァンニの驚きから開き直り毅然への転換、レポレロの怖れの三連符、オケは、音階の上下が基本で、上がって「もう一つ上から」下がり、降りたところの一つ上からまた上がる、漢字の「入」の形のように、そして「入」の字を横に少しずつ右上がりに並べたような不気味な雰囲気を盛り上げています。それに乗った歌はそれぞれの役の性格と立場をクッキリ際立たせて……、

「悔い改めよ」「ノー」「悔いよ」「ノー」……「もう遅い」……

そして炎と地震が発生しコーラスも加わる大音響の中、ついに、

「アァ――」（ドンジョヴァンニが地獄へ）

ここから2オクターブに跨がって一気に下がるオケによる音階は、ニ短調から長調（ニ長調）に早くも転調しており、降り切った所で何やら

　ジャラララ　ジャラララ　ジャラララ　ジャラララ（このジャは半音ずつ下がる）

そして

　「アォ――」（レポレロが気絶）

同じ下降音階とジャラララが再度繰り返され、ジャカジャカ……ジャーン！　そして舞台はパッと明るくなり（気絶から覚めたレポレロを含め）残った男女全員が再登場し、明るい（ト→ニ）長調の重唱の大団円によって喜劇の幕が閉じます。

(D)「入門講座」　まずレコード、CDなどで音楽として気に入った曲を何度もかけっぱなしにして耳から音楽に慣れる、歌をある程度おぼえて口ずさんだりして親しむのが第一段階でしょう。

その上で手頃な公演に行ってみる。和製でもレベルは大変高い――鑑賞の初心者にはもったいない。そしてオペラの場合、美しい声は天井から包み込むように聴こえてきます。親しみ口ずさんでいた「あの曲この歌」が舞台ではどういう状況のもとで歌われるのかがわかるときは「同時に」その曲の陰影が状況とピッタリと感じられ、オペラというものがわかったと感じるでしょう。

なお、「先入観なしで見たい、聴きたい」と準備なしで行かれる方もいます。それではドミンゴやグルーベローバの声の凄さ位はわかりますが、本当に偉大なのは作曲家、宝の山の前で殆ど何も聴こえていないも同然です。知らない言語での観劇と同様。音楽は万人にわかるものとはいっても、西洋音楽がそれほど流布していない日本での話ですし、耳に届いた音波が内耳から神経そして心にまで伝わるためには或る程度の「慣れ」がやはり必要です。すべてその上での話ですから。

声の凄さの強調は「劇場の商売」

役の性格描写と感情表現が「この音楽でこそ」と感じさせるのが「芸術」

それを支えているのが和声進行の「構造」だったのです。

第15章　無意識、変幻自在、好き嫌い

これら三語は数学と心理学の接点にある深いテーマではないかと思っております。以下の（A）、（B）、（CとE）それぞれと対応します。

（A）意識活動と無意識活動　こういう経験はありませんか？（たとえば数学の）試験の翌朝、ふだん通りに歯を磨いていたとき、突然あっと昨日の間違いに気付いた、などという――。残念ながら試験中に気付くのではなく、終わって緊張がほどけたあとすぐ、または暫く時間をおいて、突然内側から意識の表面にその「悟り」が現れるのです。試験は結果だけが大切と思えば、かような「後気付き」は無意味で悔しいだけということになりますが「わかるとはなにか」の反省材料、研究材料になります。試験の前からの予備知識、技能の準備は一応、二応あり、試験中の集中的努力もあった、と仮定した上で分析してみましょう。

試験中はこの方法で解こうといったコダワリがあり、何かを土台に踏ん張っています。でも、そもそも何を土台、踏み台にするかの判断が間違っているために正しい全体像がみえず問題が解けない、ということがしばしばあると思います。試験が終わるとその踏ん張る力が抜けて「身体」が自然なバランスをとり戻し、その瞬間に「身体感覚」が正解を見つけてくれる、という比喩的解釈ができそうです。問題をみた最初から「テコの正しい支点のえらび方、力の入れ方」がわかるかどうか、それは才能によるところも、経験によるところも大きいですが、それは「その人のそのときのレベル」と「問題のレベル」の相対的関係のことで、いま問題にすることではありません。

もっとはるかに高いレベルでも本質は変わらない、ということが、20世紀前半の位相幾何学創始者でもあるアンリ・ポアンカレの名著『科学と方法』［P］の「数学上の発見」（第1篇第3章）に述べられています。以下それを引用します（現代語との対応の説明の（註）は伊原）。

「二週間の間、私は、私がその後フックス関数と名付けた関数に類似の関数は存在し得ない、ということを証明しようと努力していた。当時私は極めて無知だったのである。日毎日毎、机に向かって一、二時間を過ごし、沢山の組み合わせを試みては何らの結果にも達せられなかった。ある夜、例になく牛乳を入れずにコーヒーを飲んで、睡眠をすることができなかった。幾多の考えが群がりおこって互いに衝突し合い、そのうちの二つが相密着して、いわば安定な組み合わせをつくるかの如くに感じられた。朝までには、私は超幾何級数から誘導されるフックス関数の一つの部類の存在を証明することができた。あとはただ結果を書き上げるのみで、数時間を要するにすぎなかった。」（註：存在しないと思っていた一般フックス群に対する保型関数が、実は存在することに気付いた）

「続いて、私はその関数を二つの級数の商によってあらわそうと思った。（中略）もし、かかる級数が存在するとすれば、その性質はいかなるものであるべきかをたずねて、困難なく、私がテータフックス級数と呼ぶ級数をつくるに至った。このとき、私は当時住んでいたカンを去って、地質旅行に参加した。旅中の怱忙にとりまぎれて、数学上の仕事のことは忘れていた。クータンスについたとき、どこかへ散歩に出かけるために乗合い馬車に乗った。その階段に足を触れたその瞬間、それまでかかる考えのおこる準備となるようなことを何も考えていなかったのに突然、私がフックス関数を定義するに用いた変換は非ユークリッド幾何学の変換とまったく同じである、という考えが浮かんできた。（後略）」（註：変換というのは変換群）

「続いて、数論の問題……めぼしい結果が得られず、今までの研究と関連ありそうとは思いもよらず……うまくいかないのに気をくさらせて海岸におもむき数日間滞在……別のことを考えていて、ある日、断崖の上を散歩していると、不定三元二次形式の数論的変換は非ユークリッド幾何学の変換と同じものであるという考えが、いつもと同じ簡潔さ、突然さ、直接な確実さをもって浮かんで来たのであった。」（註：3次元古典群たちの間の同型関係の一つ）。

ポアンカレはこれらの心理学的分析も数ページにわたって述べています。それは

意識的自我によって呼び起こされて潜在的自我のなかで沢山の玉突きのようなものが起こり、

正解に繋がる衝突が「美的感覚」を刺激することによって意識に表面に突然現れる

と要約してよかろうと思います。わかるときパッとわかることが多いのは、鍛えられた無意識活動と審美感覚の御蔭というわけでしょう。衝突は、沢山の「球」が早く動けば動くだけ起こりやすいが、実際に何時起こるかは偶然ですからそれは確率の問題であって、馬車、崖が大切なわけではむろんありません。

多変数解析関数論のパイオニア岡潔先生（当時奈良女子大学）は夏休みに訪問中の北海道大学で、試行錯誤に疲れて考えることもだんだん荒唐無稽になり、あげくは眠くなり「嗜眠性脳炎」と

からかわれる位ソファーで居眠りばかりの状態になっていた――が、帰りの汽車の車中でぼんやり窓の外を見ながら考えるともなく考えているうち、いつになく考えがまとまってきて、どんどんスッキリしてこられたそうです。

(B) 計算よりも「新しい空間イメージ」　古典的な数学の対象は「数と図形」でしたが、19世紀以降にはもっと広い意味の数や（対象となる図形たちが属する）空間を考えるようになりました。その動機は、

　ある数や空間に関する問題を解くために別の数や空間を考える必要がしばしば生じる。
　そちらの数や空間こそが問題を「より自然な姿」で眺められ自然に解ける「場」だから。

こういうことが、しばしばあったからだと思います。

　一般化された空間（とその「変換群」）を考えるようになり、その研究が十分に進められたことの御蔭で、物理学の発展の基礎づけにもなったし、数学での論証も「計算的なもの」よりも「概念的な」内的構造直視による簡明な議論でできるようになったのです。さきほど述べたように、ある空間での問題が複雑だったら「考える空間をとりかえてみる」こと。たとえば周期関数やモジュ

ラー関数は、もとの空間をある「不連続群」（飛び飛びの変換の集まり）で「割った商空間」の上の普通の関数と考えることで、より自然に扱えます。

割り算の概念を、数だけでなく空間に対しても導入したのです。

個々の図形や関数の性質の一部は、そうやってできた「商空間の性質」として研究されるべきものだ、とある日気付いた天才がいたわけです。そして微積分学と（新しく生まれつつあった）位相数学とを意識的に分け、双方の武器を最大限に使おうとしたのです。

こういう「概念の拡張」は、数学の発展に大いに貢献した反面、数学を数学者自身にとってすらわかり難いものにしてしまいました。長い複雑な計算をたどる「忍耐力」が、新概念を理解する「表象力」に置き換わったのです。「仕掛け人」はリーマン（解析学、幾何学、数論（リーマン予想でも知られる））やガロア（代数学、群の概念、ガロアの積分論も）なのでしょう。数学を概念的なものにして数学に不幸をもたらしたのはリーマンだという人もいました。近代では個々の数学者がときの必要性に応じて、考える基礎の空間を「変幻自在」に変えています。試行錯誤の中、さっきとは別の空間で考えてみたり、比較のためにそれらを結ぶ写像を調べたりが日常的です。そこで混乱しないためにたった今の自分はどこにいるのかを常にくっきり意識していないといけません。変幻自在という武器に自分自身が振り回されないためです。それで数学者は「眼に見えない概念に基づく論理」にいやが上にも鍛えられ、また「根っこ」の違いにもうるさくなるのです。

この特質は（必ずしも評判よくはありませんが——次章）私は他分野でも使えるのではないかと思っています。

(C) 数学者の感情は数学自体に密着

もちろん数学者にも感情があります。そして「数学者の間の好き嫌いは、そりゃー（相手がやっている）数学に対する好き嫌いですよ」これは私が米国滞在中の若い頃にジョンス・ホプキンス大学の井草準一先生が言われた言葉で、すぐ納得がいきました。「数学のように客観的な論理に携わっている人は感情抜きで仕事をしているのだろう」といった一般の観測とはうらはらにこの種の好悪感情を結構強く持っている数学者が「実は多い」と感じていたからです。かつて私が親しくさせていただいた本格的数学者の中で、温厚といわれているかどうかにかかわらず、二人だけになったときご自身の強い「数学的感情」を垣間見せたことのなかった方はたぶん十人中一人か二人か……ではなかったかと思います。研究や教育上の立場の関係から派生する浮き世の「快不快」も当然ありますが、この人あの先生が「やっている数学が素晴らしいから」好き、といった「より深い」感情にも包まれているのです。では「嫌い」の方はどうして生じるのか。（なお、最近なら「苦手」とゆるめに形容される場合も当時は「嫌い」に含まれており、この言葉に最近ほど強いニュアンスはなかったと思います。）

数学の研究は喜びと共に数学特有な厳しい試練をも課します。それで「鳩ポッポよりも猛禽類のように」鍛えられ、ではその獰猛さがどこに向けられるかというと、問題を考えていて「いざ」となったときに「自分の集中力を保つ」ところです。また取り組む問題を選ぶセンス、発表の段階ではその完成度、他の先行研究の引用の際の誠実さ、丁寧さ、などに対しても厳しい自己基準ができます。そして、それが他の数学者とその人の基準に対する「敬」または侮、好き、不満、嫌い、という感情の形であらわれるのだと思います。

頭の中の大部分が現在取り組み中の問題で占拠されているのが数学者なので、それ以外は簡単に感情レベルで処理してすませよう、と無意識にしてしまうのかもしれません——多分そうでしょう。

(D) では、あらためて数学と数学者の関係は？　ここでちょっと立ち止まって一つ感想を挿入し

ます。多くの数学者は、多分、次のように感じているのではないでしょうか。自分が数学を「作っている」、というよりも、

数学という精霊が（空中を）漂っている

数学者とは、それに取り付かれ日常的に頭脳を占拠されてしまう人間のこと。

数学は、一時期その「頭脳なる場」を借りて「自然に成長」し

やがてまた空中に出てゆく……。

ポイントは、数学の研究が進むのは多くは「数学自体」が持つ力によるのだろうということです。場合にもよるでしょうが筆者の印象に残った軽めの例を一つあげておきます。

ある論文のレフェリー（査読）を頼まれて読んでいるうち、著者の方法よりもずっと自然に（計算は最小限で）同じ事ができると気付き、著者にその方法を示唆したときのこと。著者は「成る程、でもそれなら共著にしよう」と持ちかけてくれました。でも、それは私の頭脳が考えたというよりも、明らかに「その論文からその数学が私に乗り移って」そこで「数学自体の力によって自然に展開した結果」という感触が非常に強かった、それで共著はお断りし、上のように感じた記憶だけが（増殖されて？）残ったのでした。

要するに、数学の法則性「自体」に生命力があり、数学者から動機と方向性の刺激さえ与えられれば「その生命力に基づく展開力」がそれに応じて隙き間を破って展開していく、という感覚です。その法則性は（アンリ・ポアンカレなども指摘していたように）調和美の法則です。

では「これこそ調和美、でも別種の法則性」の世界である「音楽とその作曲家」との関係はどうなのでしょうか。現代音楽は別として西洋の古典音楽では、改めて問う必要もありません。上記の感覚は昔から周知のこと。遅くともセバスチャン・バッハ以来、作曲家の気まぐれよりも音楽の法則性の作用のほうが強いという感覚が広く共有されているはずだと思います。

(E) 話を戻します。(C) で述べたような数学者の感情は周辺や自分自身にどういう影響をもたらすのでしょうか。第一は、世界における数学のさまざまな分野での研究（や分野横断的な研究）の大きな流れの形成に、主導的な人物のもった感情が大きな影響を与えているということ。これは様々な実例で確認できます。第二は個人レベルの話で、数学的感情は「理解」と深く関わっていること。好きな（数学者による）数学は頭に入るがそうでない場合は（若いうちはともかく）よほど必要性に迫られなければ理解への努力の対象にならないようです。難しい理論であればある程、また異分野で予備知識の足りないものであればある程、「好き」以上に創った人への「尊敬の念」が理解のための必須条件のようです。なぜか。とにかく数学の難しい理論は数学者や若い数学徒にとっても十分難しいのです。ですから敬意が足りないと脳の無意識領域の指示で「わかるところだけの飛ばし読み」をすることで肝心なポイントを見過してしまいやすいのです。研究者同士の場合、フンフンといった気分の読み方になる場合もそれが主因のようです。

逆に、勉強段階も含め著者へのあこがれや尊敬の念が強いと内容を自分の中の生命に変えていける喜びと共に学べますから、理解度の深さがまったく違ってきます。自分の中に刻み込むにはこの感情の力がプラスになります。数学の「表面的以上」の理解のために働いている脳の領域は、かくも深い。そして尊敬の念は「驚き」から生ずる感情です。まずは、

驚くべきことに驚けること

これが基本でしょう。若いうちから、数学以外からでも、少しずつ育ててほしい感情です。

研究材料の選択、仮説を立てて研究する段階、これらにおいても自分のセンスの凝縮である「数学的感情」は大きな役割を果たします。それがかえって真理の直視の邪魔になってしまう場合もありますが、それはある段階で虚心になって改めて考え直せるかどうかという別問題で、基本はやは

り数学的感情だと思います。

では完成と発表段階ではどうか。そこではユークリッド幾何学の教科書と基本的に同じ。既知のことを再編成してクリアに表現し、そこから厳密な論証を積み上げ、a figure and a platform（第2章参照）の積み上げによって建造物をつくり上げ、壊れないことを何度も確認するという作業です。そして不要になった「足場」を完全に外すのです。足場を外して初めて純粋な数学的美が表現できるからです。この段階では感情の入る余地は全くありません。

数学者のノートには、試行錯誤の段階の雑多な書き散らしと感嘆符など、それと整理段階の一歩一歩キチンと積み上げてゆく部分とが混在しています（筆者の場合、同じノートの前からと後からに分けていました）。ただし序文や謝辞の部分は感情排除の場所ではありません。先行する他の研究への言及と自分のアイディアの説明の中で著者の数学的感情の節度ある表現ができる場所です。

（F）それに表現手段が乏しい怖さ　では、たとえば音楽と比べるとどうでしょうか。音楽家は概して非常に繊細で、好き嫌いの激しい方も少なからずおられるようで、これは音楽というものの本質から当然ではないかと思います。エコヒイキとかいうのではなく、音楽（表現も含めた）そのものへの好悪からくるもの、この点までは数学の場合と似ているようです。大きな相違の一つは、数

学では

　正しい事しか正しくない

という誰もが認める絶対的な審判があるのに対して、音楽ではその意味の絶対的な基準はなく、好まれるかどうかで価値判断がされる（らしい）こと。それともう一つは音楽の場合、表現手段が感情をベースにしているのでその感情は音楽家自身の活動の中で「表現できる」わけです（もっと丁寧に書くなら「十分コントロールされた感情が、演奏される際に音楽自体の力によって表現される」——とくにクラシックでは——でしょうか）。ところが数学は上記のとおりですから、この

　数学的感情は強いのにその表現手段が基本的には与えられていない！

という状況、そのおおきな「乖離」が数学者をしばしば精神的に苦しめる原因の一つのように私は思います。気付かぬうちにです。若い頃に感情表現を徹底的に排除してきた方々のほうが、ある年齢に達してから危機にさらされやすいのではないか、とときおり感じ、怖れています。

第16章　数学者と世間の目線

（A）まず全体構造　数学者は、世間的な問題についても「まず全体構造から理解したい」との思いが強めなので、どうもその話から始めたがる。そして理屈に合わないと感じれば議論してしまう。すると「自分の利益のために拘っている」と誤解されがちです。思うに、世間一般の常識は

理屈は自分の利益（我田引水）のために述べるもの。

さらに思うに、とくに法科出身の方々にこの種の誤解をされやすいわけは、法律問題では普通

訴える側は個人視点で訴える

全体構造を教えるのは法曹関係者のはず

それがいきなり逆??　……で面食らわれるのでしょうか。

（B）何が正しいかがわかるのは、終点か出発点か　政治や社会運動に関わる方々にとって「何が正しかるべきかがわかった」は終点ではなく実践の出発点でしょう。一方、数学者は一旦何が正し

いのか（証明などによって）はっきりわかったら、もうその時点で主な関心は次に移りがち。これは大きな差です。

その精神構造の身体反応への影響でしょうか。アメリカの大学都市のあるスクエアでのこと。「この車の列がちょっと途切れたところで横断しよう、あと十台目の、あの車のあとで」と決めた時点で注意力のギアがローになって「数えることだけ」に限定され、その十台目の車の側面に衝突しそうになり、「数学者らしいあぶなっかさ」といわれた記憶があります（「気をつけなきゃー」と「わかってくれている」の混ざった気分に）。

（C）数学者はどういう違いにうるさいか　数学者は普通だったら問題にしない種類の「ちがい」にうるさい人種だ、と思われているのではないでしょうか。たとえば、かのベンジャミン・フランクリンはその自伝［F］（第5章）のなかでこう述べています。

「私の出会ったえらい数学者はたいていそうなのだが、彼も人の言う事には何にでも普遍的な正確さを要求し、いつも否定的なことを言ったり、些細なことについて区別立てしたりして、みんなが話を進めるのにうるさくて仕方がなかった。彼はまもなく脱会した」

これはフランクリンが週一回自主的に開いていた「倫理・政治ないしは自然科学に関する問題提起と討論の会」（当時21歳）での話ですが、このくだりを読んだときは可笑しくて思わず笑ってしまいました。一言でいってしまえば確かにそういう面があったのでしょう。でも本書の読者諸氏に対してはもう一歩踏み込んだ説明ができると思います。それは、数学者は基本的には

決して「枝葉の相違」をうるさく問題にするのではなく

大抵は「根っこでの分岐」を問題にしている（つもり）

ということです。なぜ「根っこでの分岐」を問題にするのか。これは前章の（B）で説明したように、数学者はそのときどきで考察の基盤の空間をどんどん変えるという変幻自在性を武器にしている代わりに自分自身がその変幻自在に混乱してしまわないため、常に今どういう条件のどういう空間でものを考えているのかを反復確認しているからです。

そしてもう一つ、数学は公理系から出発して議論を進めます。公理が異なれば全部が違ってきます。そして、そもそも数学の道に進もうとしたとき周囲にどう反対された経験を共有しているか？反対の根拠を遡ると、たいていは「金を稼いで自立するために役立つ学問ではないぞ」、つまり「金を稼いで自立するのには」という、この世の常識からくる「公理」を暗黙の上で仮定した議論

なのでした。我々は以前「だから噛み合ないのだ、公理が違うのだから！」と痛切に悟った体験を経て数学者になっています。ですから元々「公理の相違」にはひどく敏感なのです！

(D) 一語一意の世界　ある数学者のつぶやき

「ピアノの演奏なんてどこが難しいのだ、
　正しいタイミングで正しいキーを押せばよいだけではないか」

むろんジョークです。ですがまじめに解説すると、数学の各分野で使われる専門用語は、一つ一つに厳密に定まった「たった一つの意味」しかありません。だから音楽でも「楽譜が全てを決めている」だろうと勘違いするとこういう誤解になるわけです。この無邪気な数学者、自分の分野で

一語一意

であるからといって他分野でもそうだと思う無邪気さ、でも彼の言葉は数学の学問としての一つの本質をあらわしています。私事になりますが娘の一人は大学で専門を決める際、「数学みたいに一つの言葉が一つの意味しか持たない分野は合わない」といって（理系ですが）数学は選ばず、私もハッと何かを教わった気がしました。

でもいま心配しているのはさらに

で統一したがる数学の若者も増えているらしいこと。対象は同じでも場と状況に応じて別の多彩な表現をとれる（文学的な）可能性の良さを消して、記号まで含めすべて一つに統一しないと気分がよくない、と感じるようになっている――これは「答えを一つに決めないと採点に困る」という機械的採点方式の悪影響ではないか。たとえば代数幾何学では、完備、プロパー、コンパクトなど、は基本的には同義語です。ヴェイユ式なら完備、グロータンディック流ならプロパー（一般にはこちらは相対的概念ですが）、位相幾何的用語ではコンパクト。これらを混ぜて使うのは同じ特質を別のさまざまな観点から見るのに役立ち、教育上も悪くないと思うのですが――。

使う言葉が厳密に一義的で「奥行きとそれに必然的に伴う曖昧さ」を与えない文化というのは、ちょっと狭い精神構造を作りやすいのではないか。むしろ、高度な言語文化の産物の一つのエッセンスはメタファー、つまり飛躍を含む適切な比喩、なのではないでしょうか。メタファーだけでわかった気になるのはそれはそれで問題なのですが、だからといって「一切排除」するのは、文化の深みにある「共通性」に興味を持たないことと通じる怖れがある、と心配になります。アリストテレスのメタファー尊重の思想が数学の世界から「消去」されないことを願いつつ、第18、19章でそれぞれ音楽、数学がらみの若干の例を披露いたします。

第17章　フェルマの問題のドイツ式音楽劇

(A) フェルマ、ワイルズ　フェルマの問題の発端は、17世紀のフランスの数学者フェルマが正の整数のｎ乗数について

ｎ乗数を2つのｎ乗数の和で表すことは、ｎが3以上ではできない。

そしてこの定理に関して私は真に驚くべき証明を見つけた。しかし「この余白はそれを書くには狭すぎる」

との走り書きを（ギリシャ時代のある数学書の問題集の余白に）残したことに始まります。しかし遺稿の中にその証明は見当たらず、当時の数学の方法で証明できたろうとは段々信じられなくなり、それでこの言明は好意的にフェルマの最終定理（Last Theorem）とか、フェルマの「問題」とか「予想」とか、様々なよび方をされるようになり、その文句ない証明を与えることが数学者の

力試しの一つとされてきたものです。

そして1993年6月、イギリスのケンブリッジ大学ニュートン研究所での研究集会で、米国プリンストン大学のアンドリュー・ワイルズが「証明出来たことの言明と証明のアウトライン」の連続講演をして参加者達の度肝を抜きました。筆者も招待され参加していました。三回の講演のうち「フェルマ」の話が出たのは、主題であった志村・谷山予想の（半安定な場合の）解決の応用としてですから、最後の最後でした。（この証明のポイントとメタファーについては第19章参照。）ワイルズがそこで冗談めかしていった言葉は、

「自分が（執筆中の）論文につけたタイトルはフェルマのLast Theoremだが、タイピストが間違えてLost Theorem（失われた定理）と打ってしまった。でも思うに彼女の方が正しいネーミングを分かっていたのだろう」。

ワイルズの証明にはその後ギャップ（論理的な隙き間）が見つかったものの、数年後にリチャード・テイラーとの共著論文と合わせて証明が完成しました。ギャップが見つかったことが世間の話題になったときの彼の（世間向けの）反応ですが、何と（衣料品販売の大手）ギャップ社のテレビコマーシャルに出て、にこやかに「われギャップを見つけたり」

"I found Gap"

と視聴者に語りかけたという話（ジョーク？）を聞きました（アクセントは無論Gapに置いたのでしょう）。視聴者層のユーモアのセンスを信頼できなければとてもできないですね。そうです。科学に大切なものの一つは（誤まりを犯すことも知性のうちという）広い意味の知性に基づいた

ゆとり

と、それを理解してくれる世間だったのでしょう。

（B）音楽劇　さて、タイトルの音楽劇「失われた真実」（Die verlorene Wahrheit）は、それ以前の１９８０年代（後半）に絶対ガロア群の研究で著名な南独レーゲンスブルグ大学のノイキルヒ先生が企画し、彼の（当時は若手で今は錚々たる）お弟子さん達が中心になって数学者の集会などの折に余興として上演していたもの。筆者もドイツ滞在中に観劇することができました。ノイキルヒ先生は終始ピアノの前に座って効果的な音楽によって劇を支えます。セリフは主には語られ、要所でのみ歌われるのです。（肝心な「笑い」場面でドイツ語がわからなかったときはドイツの友人が耳打ちで助けてくれました。）フェルマが証明された後には限られた意義しかなくなっていますが、これはこれでウイットの楽しさにあふれ、数学者の古今共通なイメージを良く伝えていると思いますので気楽にお読みください。

（付記）ここでの夫婦の役割分担が夫は仕事で妻は家事と固定されているのは、時代ものだからでしょう。ワイルズさんは有名になってからでも子供の迎えのためセミナーを途中であわてて抜け出したりしていました。

（第一幕）

（登場人物）フェルマ夫妻（演じたのは私も親しいヤンセン君（夫）とヴィングバーグ君（妻、ヒゲを隠しての女装））

（場面）フェルマ家の台所

幕が開くとフェルマが、台所の小テーブルの周りをゆっくり巡りながら問題を考え続けています。そこに夫人が入って来る。暫くしてやっとそれに気付き、Täubchen（小鳩ちゃん）！　奥様の台所仕事の邪魔になるというのに相変わらず回遊し続け、ときどき所かまわずヒョイと座ろうとするのでその度に奥様があわてて後ろに椅子をあてがいます。ついに奥様が客席に向かって嘆く。

「あー、しょうもない、数学者なんかと結婚するなってママにさんざん言われてたからママには相談できないけれど、皆様、一体どうしたら良いのでしょう？」

「……」

「でも考えたら皆様もその数学者だったわね、相談してもしょうがなかったわ」（笑い）

一方、フェルマは考え続け、ついに何か出来たらしく立ち止まってシャカシャカとその辺の紙片に書き付ける。でも紙が足りない、そこで初めて言葉らしい言葉を。

“Der Rahmen ist zu klein !”（枠が小さすぎる＝余白がない）

（笑い）で第一幕が閉じます。

（第二幕）

フェルマの予想を我こそ証明しよう、と名だたる数学者何人かが挑みます。その一人（たしかクンマー）が「証明できた！」と興奮。そして仲間の一人（たぶんデデキント）に証明を聞いてもらうために出かけて行きます。そして戻って来たのはノイキルヒ先生のピアノが悲しげな短調の和音をジェーンと奏でると同時でした。証明が間違っていた、と悟らされたようです。（数論用語では、円分体の類数は1とは限らない、といった類いのギャップと思われます。）がっかりしてがっくりきた数学者の様子が音楽的にもよく表現されていて身につまされる、と同時に可笑しくもなります。この直後「でも皆さん、そこであきらめちゃダメ」といった内容の短くて明るい四重唱（だったか）がありました。ちなみにあちこちで「魔笛」の場面を彷彿させるところが――やはり当地の「文化の土壌」なのでしょう。

（第三幕）

軍から資金を得たらしく、大げさに号令を掛けあう兵士達に守られた大型計算機が中央にデーン。

それを回してフェルマの予想の反例（成り立たない例）を「国の威信をかけて」見つけようとしているようです。小さい数の範囲では反例はないとわかっているので、巨大な桁の数で計算するために大掛かりな計算機が必要というわけです。フランス（フェルマ）対ドイツですし。何となく怖い時代の雰囲気。

そしてついに見つけたらしく、出て来た一人が叫ぶ。

「反例が見つかった！　でもプリントアウトできるだけの紙が足りない！」

（笑い）で幕となります。

第18章　音楽関連メタファーとモーツァルトの変奏曲

ピタゴラスの「万物は数でできている」は和音の振動数の比の数学的法則性の発見と連動した言葉でした。音楽の超天才モーツァルトは子供時代、一時は数学にも夢中になって「所かまわず数式を書きまくっていた」そうです。逆に数学者の音楽好きも沢山いて、その方々のご自宅に招待される楽しみの一つはそこでよい音楽を聴けることでした。微積分の生みの親の一人ライプニッツは「音楽は無意識に行われる計算である」との言葉を残しています。

(A) 音楽と建築

薬師寺の東塔は、フェノローサによっていみじくも「凍れる音楽」とよばれたそうです。もっともこれについては、ゲーテとエッケルマンの対話に“erstarrte Musik”と記されておりそのほうが先でしかも優れた建築一般についての形容だ、という説もあるようですが、それにしてはあまりにも東塔にピッタリと思えてしまいます——優美な塔に一瞬眼を奪われ見た人自身が凍結される、そしてその目を通して塔全体が、あたかも一つの見事な音楽であるかのように（しかし瞬時に凝縮されたものとして）心に響きわたる――。

一方、モーツァルトの後期のト短調交響曲、これはシューマンによって「揺れ動くギリシャの美」と称えられたとレコードのジャケットの裏に書かれていました。名建築の構造美が力学的数学的な根拠をもつのは当然ですが、名曲との連想による相互的繋がりも何か味わいがあります。第一楽章の（哀しみの表現という以上に聴き応えのある）構成美と、冒頭の微かにざわめき揺れるような数小節だけからでも「たしかに！」。愛聴していたカール・ベーム指揮、アムステルダム・コンセルトヘボウ管弦楽団のゆっくりめの演奏もこの意味でぴったりでした。

ついでに同じモーツァルトのト短調でも弦楽五重奏曲の第一楽章は「疾走する哀しみ」（H. Gheon "tristesse allante"）とよばれた、と小林秀雄の『モオツアルト』で読み、なるほどと心に刻みこまれました。哀しみが、強調されるかわりに「淡々と進んでゆく」ところに美を見出す。これはむしろ東洋的なのではないかとも思えるし、でもアレグロで、中低音で刻まれる早いリズムに乗って常に疾走していますから、感慨に浸るといった雰囲気とも異なります。ちょっとクセのある音楽ですが、確かに文化の頂点の一つなのでしょう。（なお筆者も全部の楽章が好き、つまり何度でも聴きたくなる、というわけではありません。）

（B）名曲と解析関数　クラシックの名曲と複素解析関数は何となく似ていると感じることがあります。モーツァルトの多くの曲でのように「この続け方はこれしかない！」と思わせるところが、複素解析関数の性質「複素平面内のどんなに小さい円の内側でも、そこで与えられた複素解析関数のその外への接続は、（存在したとしても）一つしかない」と似ているのです。

曲の一部からその先への延長の仕方は、曲全体のコンセプトを変えず「モーツァルトが満足するであろう進行」に限っても、唯一ではないでしょう。でも聴いて「他にない」という強い印象を感じるのが名曲を楽しむ重要な一部だとすればこの連想上の対比は自然発生の産物でしょう。

（C）数学者は変奏曲が好き？　では変奏曲と周期関数（三角関数など）またはそれに近い関数（ベッセル関数など）との類比はどうでしょうか。変奏曲は最初に短い節が「主題」として提示され、そののち第一変奏、第二変奏……と少しずつ脚色されたものがいくつか続きますから、変奏部分まで聴けば「これは変奏曲だ」と容易にわかるのですが、実はそこまで行かずに主題の提示の段階でも「あ、変奏曲らしい」と感じることがしばしばです。どうしてか。それは変奏曲の主題にはメロディーとテンポに共通の特徴があるからです。一番多いのはアンダンテ（歩く早さ）の単純な民謡風たとえば田園風、とか「キラキラ星を主題にした変奏曲」など童謡風。主題が単純で親しみ易いものだからこそ多くのバリエーションを許すのです。単純性から出発して多彩なバリエーションを楽しむのが変奏曲です。

中間の楽章に変奏曲が現れると「あ、一旦エネルギーを落としたな」という感じがします。変奏が進むにつれて盛り上がっていけるためです。一方、最終楽章の場合の変奏曲の感じはちょっと違って、テンポはやや速いアレグレット位だし、むしろ終わる前に「姿勢を正した」ような雰囲気、と筆者は感じます。

余談ですが、昔の海外での話で、志村五郎先生のご自宅で室内楽を聴かせていただきながらトランプをしていた折、楽章が一つ終わって短い休止ののち次の楽章が、何となく控えめな雰囲気で淡々と始まり「あ、変奏曲ですね」と言って（数学では厳しかった先生に）「よくわかりましたね」と感心してもらえたことがありました。それで

周期性に近い性質が「出だしだけで」わかる、このことの「解析関数バージョン」は何だろう？

と考えてみました。三角関数ですと、原点でのテイラー展開だけから出発して微分方程式、加法定

理、さらに位相群的考察を経て周期性まで導びかれる。つまり周期性は1点でのテイラー展開だけにも内包されているのです。

分析はこの位にしましょう。それより体験を広げたい方は是非モーツァルトの変奏曲をいくつか聴いてみてやってください。

(D) モーツァルトの変奏曲より　特に有名で親しみやすいのは——

♪ピアノソナタ（イ長調）K331の第1楽章（アンダンテ）

中間に短調の変奏がありますが、ここの気分は「哀しさ」より「華やかさへの遠方からの憧れ」のように感じるのは筆者だけでしょうか。その華やかさは子供のように単純で、特徴的なメロディーが2回目にはフォルテで再現され、それに1オクターブ上も忠実にかぶさるというだけ。このハイライト方法は第3楽章「トルコ行進曲」でも効果的な「あそこ」でも使われ、ここはその予告と「いざない」の役目の変奏なのでしょう。

♪クラリネット五重奏曲（イ長調）K581の第4楽章（アレグレット）

実に癒し系の名曲だと思います。変奏の最後から二つめは（定型通り）アダージョになり、ホワーっと上下左右限りなく広がる雰囲気。クラリネットの聴かせどころの一つです。

♪バイオリンソナタ（ヘ長調）K377の第2楽章（アンダンテ）

筆者の「イチオシ」です。この楽章はピアノとバイオリンで奏でる悲しげな短調（ニ短調）の調べ。この主題自体が、短いため息「ラードー、シーレー」の変奏とも見なせるでしょう。その情緒にたっぷり浸ってから、さて、続く第3楽章は再び長調（テンポ・ディ・メヌエット）に戻ります。やや長い短調ブシに続く安らぎのヘ長調。何とまた格段に美しく聴こえることか！　それまでは特にモーツァルトファンでなかった家族の一人が「本当にわかったわ！　美しさの極致はかなしみだってことが」。

（註）短調から長調への（楽章を挟んでの）この転換。では、それぞれが強調されることで変化が際立って聴こえるのか、というとそれは違います――そこはモーツァルトです。第2楽章最後の第6変奏は、実は軽やかな8分の6拍子（シチリア風の舞曲）で、終わりぎわに長調（変ホ長調）和音（いわゆる「ナポリ

の六度」）が一瞬入ってからスーッと消えるように、ピアノはニ短調のまま、同時に奏でるバイオリンは「実質へ長調」で終わるのです。あたかも、全体が明るくなる直前に一条の光が差したかのようで、こたえられません。

♪弦楽四重奏曲（ニ短調）K421の第4楽章（アレグレット・マ・ノントロッポ）

嘆きのような「あ↓あー」（いや音でいえば「ニ↓ニー」か）とオクターブ下がる激しい始まりの第1楽章に対して、この最終楽章の主題はうねるように（歌うように、か）始まり、第1楽章出だしを思い出させる急下降で終わり、第一変奏に入ります。

♪弦楽四重奏曲（イ長調）K464の第3楽章（アンダンテ）

貴婦人のロングドレス？　のような微妙なゆらぎと香りの高さの最高級品。ベートーベンに与えた影響によっても知られています。引き込まれ興奮してきたら、特に第6変奏のチェロのリズムの効果も味わって下さい。ソは下のソです。なお、この楽章は（下属調の）ニ長調です。

ドソドソ　ドッソソソッソ、ドソミソレッソソソッソ……

四つの楽章の間に緊密な内的つながりが感じられます。

♪ピアノ協奏曲24番（ハ短調）K491の第3楽章（アレグレット）

大いなる安らぎの第2楽章（変ホ長調、ラルゲット）――ピアノのタッチの優しさが心の琴線に触れれば特に、です――に続く終楽章（ハ短調）です。ここは行進曲風で、それが短調のためもあってか何となく「口の中が酸っぱくなってくるような」味わいを感じました。最後に近くは「エーイどうにでもなれ」とモーツァルトが自棄になったかのような節をオケが。さて、それにピアノがどう応えるのか。

♪弦楽三重奏のためのディヴェルティメント（変ホ長調）K563の第4楽章（アンダンテ）

キッチリした名曲のなかでこの楽章は親しみやすいと思います。変奏曲は知的ともいわれますが、癒し系でもある……と。

ドドシソ　ドドミー　レドシラ　ラソソー

ファファファラファ　ミミソー　レレファシ　レドドー

（音の上下は、あなたが自然と思うほうをとって下さい。）

第19章　数論の土壌、花畑、関連メタファー

(A) 数論は数学の女王　ガウスの言葉といわれる「数学は科学の女王、整数論は数学の女王」。この「女王」は形容詞的な使われ方でしょうが、どういう内容か。この分野で多大な業績を残された谷山豊氏の同人誌用の記事「整数論」(1955年)の序論の一部を引用します。

——整数論は数学の女王といわれる。それは女王の様に美しいが、又女王の様にかよわくて、独りで生きて行くことは出来ない。それが美しく成長するためには、数学の他の分野の精髄を吸収することが必要である。一方それ等の分野も、数論への応用によってその武器を鍛えられ、新たな力により豊かにされる。整数論の意義は、その美しさ、神秘的な深さの外に、数学の活動性への此の様な、鼓舞の力にも存するのである——(『谷山豊全集』より)。

その後(代数的)整数論は、ラングランズ双対性哲学(1次元の場合は類体論プラス谷山理論)

を一般的「指針」に、志村多様体論を実証的「支え」に、そして新しい代数幾何学を「道具」に大きく進展し女王の近辺も非常に忙しくなりました。また双対性は「それぞれ由来のζ関数やL関数の一致」という解析的表現を持つため解析学との関わりも深まりました。正に上記の方向でした。

その重要な諸成果のうちの一つが、ワイルズとテイラーによる志村・谷山予想（の主要な場合）の証明とその応用としてのフェルマの問題の解決（1990年代）でした。

（志村・谷山予想） 有理数体上の任意の楕円曲線Eは或るモジュラー曲線Mで支配される。

この一般向けの（筆者的な）メタファーを次項（B）で説明します。

（B）数論関連メタファー まず楕円曲線Eを特徴ある区切られた平地『E平』に、モジュラー曲線Mを山『M山』に喩えます。『E平』の第一のイメージは「平行四辺形」です。でもそれだけでは楕円曲線一般と対応し、連続パラメーターを持ってしまいます。肝心な条件「有理数体上」に対応して、その中の特殊な飛び飛びの部分（可算無限個）だけが選ばれるのです（複素平面の上での平行四辺形を基本領域とする楕円関数論を考える時の「.j不変量」が有理数となるもの)。他方、M山も(可算)無限個あり、それらが長い山脈中に連なっているイメージです。

《志村・谷山予想のメタファー版》

(山バージョン)任意の『E平(だいら)』は、それと全く同型な区域を或る『M山中』に有する。

(水系バージョン)E平由来の『水系』は、M山由来の『水系』に含まれる。

水系とは、無数の小さな流れが次々合流して大きな流れをつくっているもののことで、整数論の大地が「沙漠ではない」からこそ、前者が後者に帰着するのです。

《ワイルズの証明の方法のメタファー版》　E水系の流れをさかのぼり、河合(支流の分岐点)ごとに(そこで合流する)支流の総数とその中でM山由来の水を含む支流の総数を比較し、それらが一致することを示すのが証明のポイントである――いわば微視的な方法。

これは、ワイルズの発表がなされた英国での研究集会後に筆者がロンドンで日本の大手新聞の取材を受けた際、講演の趣旨を「かい摘んで」伝えた比喩でした。ただし、記者氏がそれを「更にかい摘んで！」紙面に載せて下さった結果、仲間の数学者にすら理解できない（といわれた）説明になってしまいました。この機会に補足します。ポイントは

「整数論」と「水系」の関連性のイメージング

です。ある整数を一つとると、それを（たとえば）3で割った余り、3の2乗の9で割った余り、3乗の27で、……、と3の冪《べき》で割った剰余を並べた系列ができます。3で割った余りが1の場合、9で割った余りは1、4、7の3通りのいずれかになりますからそのほうがより詳しい情報を与えます。そしてどんどん冪を挙げていけば相異なる整数はどこかで必ず分かれますから、この「剰余系」はもとの整数を特定するに足りる情報になります。一般に整数論の対象の情報は、必要なサイズの行列の各成分の整数に対する同様な剰余の細分系列によって与えられます。ですから数論的な基本情報は、本流から上流に向かい分岐点ごとに一つずつ支流を選びながらさかのぼっていく「選択肢の（無限）系列」のようなもの。

専門的なキーワードは「l進ガロア表現」（lは素数で、この場合は3）で、そのメタファーは「水系」です。

メタファー追記　流れに喩えたついでにもう一つ。その種の水系の中の「滝の扱い」も重要で、そ

こでは岩澤理論というのが（肥田ーメイザー理論を経て）ワイルズによって使われたのですが、この理論に対する私のメタファー版は

高い滝の上には虹がかかる。

正確には、固定した素数の冪の範囲で『滝』の高さを無限に高くしていけば上部の空に必ずいつか

『虹』がかかる（つまり見事な、そして重要な情報を含む構造体が現れる）ということです。

感性に富んだ日本人です。この種の（いや、もっとずっとましな）比喩を他の有志にも試みてほしいもの。どうも（1）極端な表現で人目を引こうというものや（2）数学はかくも面白いよという類いの甘い誘い、それぞれよくありますが、どちらも本質を捕らえていない。音楽的には（1）は「最も美しい音楽はファンファーレであり最も美しい楽器はトランペットである」といっているようなもの、（2）は「ドミナントによる締めのない音楽」――和音として「ドミソ」と「ドファラ」ばかりで「シレソ」が抜けた甘ったるさ――のように聴こえます。「春が来た春が来た、どこに来たー」でいえば、「どこに来たー」の「来たー」で「低く出直している雰囲気」がミソ、という感覚でちょっと歌ってみて下さい。

科学方面では固い表現しかされないのが大部分、あとは極端または甘い表現（商業的）になってしまう。中間にこそ「ミソ」があると思うのに。数学も科学も音楽と同じく文化ですから。

(C)「フェルマ」への応用　では、応用としてどうして「フェルマ」が出るのか。この帰着させる部分だけの証明は、80年代後半、志村・谷山予想の証明に先だってケン・リベットによって示されていました。仮にこの順序が逆なら「フェルマの最終証明者はリベット」となったでしょう。

その証明は背理法によります。仮にフェルマの問題に反例があったと仮定しましょう。するとその反例の数値を用いて、数論的にかなり特殊で「都合が良過ぎる性質」をもつ一つの『E平』が構成されます——ドイツの（お茶目な）数学者フライ君が逆転の発想で見つけました。(*) 既存の「E平理論」だけでは「都合良過ぎを咎めてその非存在を示す」ことができなかった。でも志村・谷山予想を仮定しそれを「M山中のE平」と見ることで展望が開けました。E側ではその基本パラメーター『導手』は融通の利きにくいものであったのが、M側でそれと対応するパラメーター『レベル』は「割り算に対応できて群論的、解析的方法とも馴染みやすい」。この大きな利点が生かせ、「反例が都合が良過ぎるものであることから、対応すべきM山の『レベル』をどんどん小さいものに置き換えることができ、ついには

『その山に平地部分が存在し得ない』低レベル（=2）にまで落ちる、だから矛盾！」

という仕組みです。

根本的な意味ではヘッケ以来のモジュラー関数（曲線）論の勝利ですが、この証明はかなりトリッキーでもあります。適度な正確さをお求めの向きは、例えば筆者のレポート記事「フェルマ、ニュートン、ワイルス」（『数学』45－3（1993）日本数学会）をご参照下さい。

（＊）楕円曲線に多少なじみのある方のための「キーワードのぞき窓」です。

$$E:\ y^2=(x-x_1)(x-x_2)(x-x_3)$$

$$x_1-x_2=a^n,\ x_2-x_3=b^n,\ x_1-x_3=c^n.$$

(D) 豊かな土壌　ワイルズがその講演の際に述べた次の言葉も印象に残りました。

「多分ここにおられる殆どすべての皆様の何らかの仕事と関わっている」

「難しいポイントにさしかかるとそこに誰かの仕事が待ってくれていた」

（"Each time I found right person at the right place" といった類いの表現でした）

日本人の名前も（5人）発表論文の引用文献の著者としてあり、筆者も幸いその一人で、「こういう場合には（上の意味の）レベルを落とせる」といった類いの議論に過去の結果の一つが偶然役に立ちました。つまり「レベルを落とすことに歴史的貢献」をしてしまったのかもしれません。冗談はともかく、よく耕された土壌に根を張りその上に咲いた花だと思います。

上記の話に加えて数論のこの方向での発展は、ラマヌジャン予想、佐藤・テイト予想の解決など多岐にわたっています。それらへの複数の日本人の寄与が本質的であったことも付記しておきましょう。たとえば志村五郎先生の名前はマスコミでは主に志村・谷山予想によって残されていますが、先生のお仕事全体の多大な寄与の重さはこの予想への先生の寄与よりも桁違いに大きいのに残念！……というのが（筆者を含めた）多くの数論関係者の感想です。たとえばラマヌジャン予想、佐藤・テイト予想の証明の深部にも多大な貢献をされています。

（E）数学と数理科学　ここまで数論偏重でしたが、「数学（全般）」とそれより更に広い（と世間で認識されている）「数理科学」に関しては、（やはり筆者の恩師である）佐武一郎先生による以下の穿ったメタファーが提示されています。筆者もなるほどと共感いたしました。

……（たとえていえば）数学という一つの大きな海があって、そのある部分で時々波が立つことがある。「数理科学」といえば、この海にある幾つかの島々、物理島とか生物島の周辺をいうのであって、今たまたまそこに波が立っているので注目を引いているのでしょうが、数学の海そのものははるかに大きく、静かに横たわっているように思われる。この意味では、むしろ「数理科学」の方が「数学」の一部分、あるいはその境界領域だと見る方が正しい。

佐武一郎「数学と数理科学」『學士會会報』８２３（１９９９年の４）より。

数学者たちが通じている数学もやはり大海のごく一部である、ということも十分踏まえた上の比喩でしょう。分野の大小やその名称の問題としてよりも、

波に目をとらわれる勿れ、学問領域は大海ぞ！

という世間への警句、研究者にとっての自戒の言葉として受け取られ、普遍性あるメタファーとして生き延びることを願っております。

第20章　（付記）ＡＢＣ予想について

最近話題の望月新一氏によるＡＢＣ予想の証明に関する付記です。この予想と望月氏それぞれについて現時点でお話しでき、しかもそれに意味がありそうと筆者が思うことだけを、以下かいつまんで書いてみましょう。

（ＡＢＣ予想とフェルマの問題）　ＡＢＣ予想自体についてなら「こんなにやさしく述べられる面白い問題ですよ」と説明をしたくなります（詳しくは付録参照）。二つの正の整数Ａ、Ｂ（互いに素とする）をとり、Ａ、Ｂ、及びそれらの和

$C = A + B$

を、それぞれ素数の冪《べき》の積に分解してみます。注目はその冪指数です。「Ａ、Ｂ、Ｃの三つ共が素因数分解における高い冪指数を沢山もつこと、たとえば

$3^5 \times 11 = 5^4 + 2^{11}$（$= 2673$）

（冪指数は5、1、4、11）のようなことは、稀にしか起こらないだろう」を定式化したのがＡＢＣ予想です（80年代、英仏の二人の研究者による提示）。これは初等的な言葉で正確に美しく述べることができるし、数値的な面白さもあります（付録）。

フェルマの問題との関連　フェルマの予想（今はワイルズ・テイラーの定理）は上記の言葉では「Ａ、Ｂ、Ｃの素因子分解に現れる冪指数がすべてｎの倍数ということは、ｎが3以上ならあり得ない」で（ｎの倍数なら3以上ですから）ＡＢＣ予想の特別な場合と直接関係します。ただし望月氏は、一部で報道されたように「フェルマの問題などの一連の問題群をすべて解いた」のではありません。いわばそれら「問題系列の極限」として生じる「別の問題」を解いたのです。詳しくは付録で説明しますがフェルマの予想については「ｎが十分大きければ成り立つ」は導かれます。どの位大きければよいのか？　は別問題です。

（Ｍ）深く掘る人　望月新一さんはプリンストン大学で学位を取得の後、京都大学の数理解析研究所に助手として着任しました。筆者はその2、3年前から同研究所に転任しており、定年退官までの約10年間、広い意味の整数論分野での（30歳違いの）同僚でした。同僚としては、数学者としての存在価値を互いに認めあう度合いが年月と共に随分深まった、というのが誇張も偽りもないところと思います。

その間に筆者が得た数々の印象の中で最も強いのは、問題の根底の根底を長期に亘って深く掘り続けられる彼の精神力でした。いわば「地下深く」ですから「風も吹くが花も咲く地上」ではありません。以前に彼は、直接の師ファルティングスから、グロータンディックの代数幾何学のシリーズ本を「ここまで読んでから戻って来い」と言われ必死に勉強したとのこと。そのグロータンディックの言葉に「大部分の数学者は、最も基礎的な所を十分考え抜くだけの忍耐力を持っていない」がありますが、望月さんはその例外中の例外だったわけでしょう。

グロータンディックの教科書を「地上の園」と感じる独特の感性も育ったのかもしれません。筆者などにはモジュラー関数論や虚数乗法論（志村・谷山理論）など深みのある豊かな美しさと比べ、こちらは一般性と明快さ（たしかにすべて明快ではありますが）のみがその快適さで、全般に無味乾燥な長大さが苦手でした。セミナーで「一番好きな定理はたとえば何か?」など話し合った際に、この種の審美感は全く逆なのかな?　と互いに感じたことでした。なお、毎年いただいている年賀状の写真やレイアウトの美しさを含め「その他のこと」は別問題で、上記は数学、しかも特定の方向での話に限ります（念のため）。

いいかえると「志村、谷山」を知らない若い方々は「知らないことが逆に強みになる」という時代を切り開いておられるのだと思います。当研究所の創立50周年（２０１３年）に際して大手新聞の元科学記者だった方からのインタビュー・シリーズで、定年退官後の筆者も後輩達についての諸感想を聞かれました。その中で「自分が知っていることを若い人が知らないのは二重のショックでした」と答えたらその引用に「難解な言葉だ」と付け加えられましたが、それは

「こんなことも知らないの？」

「そういうことを知らないでも新しいことができるのか！」

の二重の驚きだったわけです。

そして証明の出版が確定してニュースになり、最近（２０２１年４月）本論文もようやく目出たく出版されました。[*]ほぼ７００ページで４部構成の大論文で、ＡＢＣ予想への言及は最後の第Ⅳ部Corollary 2・3（p. 687）。現時点で彼の証明に触れることはできません。筆者の２０１２年の論文もⅣで引用されていますが、全体が理解できていません。またこの稿を推敲中、定量的な結果も得られたという報告が、数理研のプレプリントシリーズから出されました（こちらは望月さんを含む数人の共著です）が、これについてはさらに待たなくてはならないでしょう。

（＊）　S. Mochizuki　"Inter-universal Teichmüller Theory　I ～Ⅳ"
Publ. RIMS Kyoto Univ. 57（2021）, 3–723; DOI 10.4171/PRIMS/57-1-1

（XYZ）　心配といえば、この理論を勉強したいと集まる学生さん達が仮に、この700ページ級の論文（と先行する諸論文）を「全部読んでから戻ってこい！」と言われたら一体何人が戻ってこれるのだろうか？　整数論の土壌をただ重い重いものと思ってほしくないな……。
いや、自分は折角定年で解放されたのだからそんな心配はしないでもっと広い世間に目を向け、書きたいことをさらに書き続けようかと思っております。「XYZ」？　いや「読まない阿呆に書いてるド阿呆」という題ではどうだろうか……。

終　章

本書の執筆のいわば社会的な動機を、ここでは切り口を変えて表現してみます。それは現在の日本における「文化の位置づけの危うさ」に対する筆者の強い危惧の念に基づいております。

(A)「文化の位置づけの危うさ」。いま政治的な問題も重大ですが、ここでは「個人レベル」――文化の担い手や受け手個人の意識傾向――の分析を試みましょう。

まず注目したいのは

「文化の興隆」と「個人の潜在能力への目覚め」の間には密接な関係がある

ということです。それはルネッサンス（＝再誕生）時代を思い起こすだけでも得心がいくでしょう。この時期は「個人が個人の能力に限りなく目覚めた時期」でもあったのでした。中心地はイタリア、それにドイツでも。

そして今の日本では個人の精神的能力が発揮しづらい状況にあり、文化も発展どころか持続さえもが矮小化の危機に陥っている……。ではこの二つはどう関連しあっているのか。筆者はかねがね次のように考えております。

まず「文化の誤った受け取り方」として

「せっかちさ、そして平面的な勝負感覚を文化の領域にまで持ちこむ風潮」があり、それは

「各個人が自分の潜在能力を信じてそれを最大の頼りどころとすることの度合いが減少」してしまっていることの原因でも帰結でもある。

話を具体化するため、これらの末端現象と見做せる事項を3項目（1）〜（3）にまとめてみました。それぞれ習慣化された価値認識、思考径路、行動パターンで、話をクッキリさせるため極端なケースをとりあげています。

（1）文化は、すぐ実用（または刹那的娯楽）と結びつくことに対して「しか」その価値を認めない。知識の場合、それが末端的、断片的であっても、すぐ利用できれば一応満足し、それ以上の関心は持たない。

つまり、「文化」と自分の関わりは、断片情報の収集と利用「だけ」。

——大部分の「知識」に対してはこれで十分なのでしょう。あれもこれもとは手が回りません。ここでの筆者の危惧は「すべての知識をそのように扱う」風潮に対してです。個人による「知」の生かし方の重心がかくも偏り、内なる自己開発の大切さと楽しさを忘れさせるほどに断片情報の波に溺れ続けていてよいのか。内向きの地道な努力によって基礎をしっかり把握できてこそ、断片情報を正しく関連づけ、位置づけ、安定させることにつながり、後の判断への応用も利き、一度でもそういう体験をすればもっと腰の坐った姿勢がとれるであろうに。また知や芸術「自体」の価値が感じ取れればその商業化のサポートもそれぞれにふさわしい方向に向かってできるであろうに……。

（2）他人が描いてくれたイメージを見て即「わかった」と感じ、それを「そのまま」取り込む。

つまり、「文化」は他人頼りでいくらでも近づけるもの、という錯覚。

——この最大の問題点は「それを再現するために自分なりのイメージをつくってみる」という次の段階を「抵抗感なく」省いてしまっていること。基礎事項はすべてその構造内の「関連性」によって支えられているのですが、関連性（という、やや複雑なもの）は「自分自身でイメージを再構成してみないと把握できないもの」だと思います。これは人類の知能の基本的な限界なのでしょう。

繰り返しますが、他人が描いた映像だけでわかったと思う「わかりかた」は、自分では（ほとんど）再現できない、いわんや他人には説明できない、という意味で「浅わかり」です。そして現代の風潮は、驚くべく広い範囲で

浅わかり以外の「わかり方」を知らない。本当に知らない！

なぜなら経験していないのだから。

さて、これらに共通な遠因とも考えられるのが

（3）文化に関わる基礎知識や技能は（試験等のための）競争のタネ、「競技種目」。それらの習得は、当然、無駄のないスピーディーな方法に依存しようとする。

つまり（特定の）「この文化は自分の能力を発揮しやすい競技種目だ」という、「土壌」より「踏み台」という位置付け。

――こういう勝負感覚では、楽しみを十分に見つけながら打ち込んでいる人に比べて長期的には大いに不利だと思いますが、ではその内容自体が持つ面白さに目覚めて心身をそちらに向けられるよい機会はいつか、といえば、たとえば試験（やコンクールなど）が終わって解放されたときで、これも実はよいチャンス。「折角面白さに気付いたときに試験になってしまい中途半端で終わってしまった。そうだ、あとでじっくり勉強し直そう」と一瞬は思うのではないか。ただし思えてもなかなか実行できないものでしょう（筆者もほとんどの場合実行できませんでしたし、若くて健康ならそれも当然でしょう）。でも、それを生かせないもう一つの原因は、勝負目的という「縛りと解き」の感覚でしょう。

以上は特定の分野の担い手の「卵」を念頭に置いて書いたのですが、では他分野、ないしは文化の受け手、についてはどうでしょうか。受け手としての成長は、たとえば芸術では自分の眼に映る美術作品、耳に聴こえる名曲にまず虚心に敬意を持ち、自分の目、耳でじっくり見る、聴き込む、それによって目、耳が肥えてゆく、そして喜びを感じとり、進歩する自分の「潜在」能力にもひそかな自信をいだけるようになり、つまり、

まず「文化的に自立すること」。

こうなると、次は自分自身の感性に基づいて文化に接することができるはずです。

以下、分析（3）の範囲を超えますが、内容のつながりを重視してもう一歩だけ進めます。

担い手、受け手を区別して記述しましたが、本物は分野を超える内的な啓発力を持っています。その受け手の成長は、当人の専門分野での仕事にも深いところでよい影響を与えるし、次代の担い手を育成する土壌の形成にも寄与します。担い手が発信する文化を遠くまで伝えることができるのも成長しつつある受け手です。いうまでもないことでしょうが、受け手の成長こそが重要なのです。

（B）これらを眺めると、いずれも各個人が

自分の潜在能力を信じて地道で困難な道を選ぶかわりに

情報の検索と伝達の安易さに流され
真に頼るべきものを間違えている

ためではないのか、と思い当たります。

その自己の確立を一番育ててくれる土壌こそ「文化の土壌であろう」というわけです。

優れた文化の恩恵を受けていれば自らの潜在能力に気付ける機会にもたっぷり恵まれる。そのお陰で自分の潜在能力を信じられるようになれば、それを長期的に育てる楽しみが膨らみ、短期的勝負感覚にとらわれたり余分な勝負ごとに加わってストレスを発散したいなどとは思わなくなるでしょう。創り手への深い尊敬の念も惹起され、これだけでも極めて大切なこと。文化の創り手にもなれるかもしれません。

逆に、自分の潜在能力への信頼感を長らく持てないでいるとどうなるでしょうか。自らの「どうせ……」感覚が徐々に他人に対しても文化作品に対しても及ぶようになるのではないでしょうか。「敬」の感性が育たず、文化のサポーターにもなれない……。もし大方がこれでは、文化は育てられません。

(C) 以上はいわば「一次近似」で、一方向に大きく揺らしましたので、それよりは小さな逆揺れについても記述しないと公正でありません。論旨がややぼやけることを覚悟で、筆者が気付いた二次的な要素の但し書きを試みます。

まず、文化に関わる場合に限っても、誰にでも備わっている競争意識とそのプラス面を筆者は全面否定しているわけではありません。動機の中で「文化愛　対　競争意識」の比率が、いってみれば「6対4」か「4対6」か程度の差の範囲内での問題提起です。ただし社会の風潮がどちらかによって結果は大きく違ってくると思います。

一方、勝負事の観点から(1)から(3)までを眺めると、すべて受け身の「出たとこ勝負」になってしまっていて、相手の内部構造の仕組みを知ろうとじっくり観察、研究、工夫する部分が省かれている。「相手」を広い意味(自分内部の敵も含め)にとるなら、相手について深く理解することは文化ともつながることでしょう。

また、精神的な自立への道は文化の土壌だけ、とも申しておりません。文化も人が深く愛する価値のある対象「のうちの一つ」であり、これも勝負事などより遥かに面白いよ、人の性格にもよるけれど貴方は「6対4」の側かもしれないし、そうなら是非、というのがお勧めする動機なのでした。

そして、筆者は情報検索を決して敵視しておりません。それどころか大いに利用させていただいております。当然ながらネット記事そのものを鵜呑みにするのではなく、特に引用の際はそれらで探した「基本文献」に当たるようにしております。

ただし、情報を「それに流されずに」利用できるのは精神的な「自己」が確立してからでないと無理だし、危険でもあると思います。このことには、もっともっと注意が払われて然るべきでしょう。多くのオピニオン・リーダーの方々は未だに情報収集技術の啓蒙の方向に力点をおいておられるようですが、それはもう十分。転換期を過ぎていると思われませんか?

情報社会への未熟期の突入で被害を受けるのは、結局、次世代の若者達です。

(D) われわれが次世代に引き継いでゆくべきもの、それは

現在包囲されているものからよりも、実は忘れられかけているもの、

うすっぺらいあれやこれやよりも「本物」、

波よりも「文化の土壌」ではなかったのでしょうか。「われわれ」とは、そう、自己の精神の自立に多少とも自負をもち、それができたことに感謝の念をもつすべての大人、のつもりです。

謝　辞

最初に本稿執筆のきっかけに関連した謝辞から述べさせて頂きます。本稿「夜想部」の数学関係の部分は、かつて「数学者の夜と昼」という題名で岩波書店の『数学、この大きな流れ』シリーズから出版を依頼され出版予告にも記されていた原稿への下書きがルーツです。「あまり昔のことでご記憶にないかもしれませんが……」で始まるリマインダーを頂いたのが2013年で、その後もリマインダーを何度か頂いておりました。約束が果たせなかったのは、年月と共に内容が膨らみ、第一章が過去の出会いと思索、第二章が「文化は一つ」というコンセプトでの（音楽等も実質的に含む）文化全般の勧め、第三章がその実践編として進化論と遺伝子論について、の三章に分かれ、元来の企画から大きく外れ、それに筆者が拘り続けているためです。長年の約束が果たせなかったことのお詫びと動機を与えて下さったことに対する御礼を、当時の岩波書店編集部でシリーズを担当しておられた吉田宇一氏に申し上げたいと存じます。原稿書きとそれにともなう勉強の補強、推敲の楽しさは予想外のものでした。なおこれら旧三章はそれぞれさらに膨らんで独立し三省堂書店から（実質姉妹書として）出版させて頂くことになりました。

本稿作成に関しては、草稿段階で中村博昭さん（大阪大学）、太田雅巳さん（東海大学）、木坂正史さん（京都大学）、そして藤原辰史さん（京都大学）から、それぞれ貴重なアドバイスを頂き推敲の際に大いに参考にさせて頂きました。特に藤原さんからは（やはり大変励みになる様々な感想に加えて）表現上の根本的なアドバイスも頂くことができました。数学のように客観的な（固い）対象を一般向けで記述する際は「強調したい文章にアクセントを付けた方がよかろう」という筆者の考えが、本稿のように（対象が文化全般に及び）主観も混ざってくる意見の表明の場合は「適用しない」ことも悟りました。（アクセント抜きの）文章自体の力を信じそれをベースに学術的価値も高い一般向けの本を数々出版しておられる人文科学系の先生だからこそ、のアドバイスだと感銘を受けました。

関連事項の確認にはびわ湖ホールさん、薬師寺さんに快く協力して頂けました。

最後に、三省堂書店出版事業部の加藤歩美氏による綿密な資料確認を含む様々な有益なアドバイスに、そして吉村聖美氏による本書の趣旨をイメージ的に生かして下さったデザインにも、大いに助けられました。

勉強段階での諸分野の恩師をはじめお世話になったすべての皆様方に厚く御礼を申し上げます。

参考文献

［A］新井紀子『ＡＩ vs. 教科書が読めない子どもたち』（２０１８）東洋経済新報社

［AH］阿部謹也、日高敏隆『新・学問のすすめ：人と人間の学びかた』（２０１４）青土社

［Cr］F. Crick “What Mad Pursuit” (1988) Basic Books
和訳『熱き探究の日々』中村桂子訳（１９８９）ＴＢＳブリタニカ

［D］チャールズ・ダーウィン（八杉竜一訳）『種の起原』（上、中、下）岩波書店（岩波文庫）

［D-Online］Darwin Online> Darwin's papers and manuscripts > …

（ｉ）“On the Origin of Species by means of natural selection” (1st~6-th editions)

（ii）“Voyages of the Adventure and Beagle” Volume III, Henry Colburn, London

［E］『Essential 細胞生物学』原書第４版（２０１７）（中村桂子・松原謙一監訳）南江堂

［F］ベンジャミン・フランクリン（松本慎一、西川正身訳）『フランクリン自伝』（１９３７）岩波書店（岩波文庫）

［FR］N・H・フレッチャー、T・D・ロッシング（岸憲史、久保田秀美、吉川茂訳）『楽器の物理学』（1998）シュプリンガー・フェアラーク東京
［Fw］ヴィルヘルム・フルトヴェングラー『音と言葉』（1954）（芳賀檀訳）（1957）新潮社（初出）、（1981）新潮文庫
［H－1］Sir Thomas L. Heath “A manual of Greek Mathematics”, Dover
［I－1］池谷裕二『脳には妙なクセがある』（2018）新潮社（新潮文庫）
［Ih－1］伊原康隆『志学数学』丸善出版（シュプリンガー・フェアラーク東京2005の2012再出版）
［Ih－2］伊原康隆『とまどった生徒にゆとりのあった先生方――遊び心から本当の勉強へ――』（2021）三省堂書店／創英社
［M］P・B・メダウォー（鎮目恭夫訳）『若き科学者へ』（1981）みすず書房
［Mz］“Mozarts Briefe”（モーツァルト書簡選集）Manesse Bibliothek der Weltliteratur
［Mu］村上春樹『猫を棄てる』（2020）文藝春秋
［Nk］中村桂子『生命科学者ノート』（2000）岩波書店（岩波現代文庫）
［P］H・ポアンカレ（吉田洋一訳）『改訳・科学と方法』（1953）岩波書店（岩波文庫）

[Sa] キャサリン・サンソム（大久保美春訳）『東京に暮す』（1994）岩波書店（岩波文庫）
[S－1] 齋藤孝『読書力』（2002）岩波書店（岩波新書）
[S－2] 坂井建雄『腎臓のはなし』（2013）中央公論新社（中公新書）
[S－3] 桜井弘編『元素111の新知識』（2013）講談社（ブルーバックス）
[T] 月田承一郎『小さな小さなクローディン発見物語――若い研究者へ遺すメッセージ』（2006）羊土社
[Tr] ヴェルナー・テーリヒェン（平井吉夫、高辻知義訳）『あるベルリン・フィル楽員の警告――心の言葉としての音楽』（1996）音楽之友社
[W] J. Watson “The Double Helix” （1980） A Norton Critical Edition
[WB] ジェームス・D・ワトソン、アンドリュー・ベリー（青木薫訳）『DNA』（上、下）（2005）講談社（ブルーバックス）

（付録） *ABC* 予想の初等的解説

（証明の解説ではありません）

（Ⅰ）まず正の整数の「素因数分解」とは、それを素数の冪（べき）の積に分解することです。*1 例えば

$$30=2\times3\times5,\quad 2000=16\times125=2^4\times5^3.$$

このうち30の場合は冪指数はすべてが1ですが、2000の場合は冪指数4と3で、大きい指数が目立ちます。こういう数は単独でならいくらでもあるわけです。では2つの正の整数 A, B（以後これらは「互いに素」つまり共通因子を持たない、とします）及びその和

$$C=A+B$$

をとったときに「A, B, C の3つとも大きめの冪指数を沢山持つこと」はよく起こることだろうか、それとも稀なことなのか？（なお、1は素因数分解を持ちませんが、A, B の一方が1のときの「A と $A+1$ 双方が高い冪指数を持つこと」がよく起こるか？　もこの問いの重要な一部です。）

そして *ABC* 予想は「それは稀」という方向の極限での命題です。それを数学的にはどう表現するのか？　積 *ABC* を素因数分解した上でその冪指数を全て1に置き換えたものを D とおきます。言いかえると D は A, B, C のどれかを割る素数全部を掛けて得られる整数です。たとえば $A=80, B=3, C=83$ なら D は2, 3, 5, 83の積＝2490、$A=80, B=1, C=81$ な

---

*1　どの整数でも素因数分解は「一通り」しかないことが知られています。

らDは2, 3, 5だけの積で$=30$です。DがCに比べて大きいのはよく起こる場合、小さいのはやや例外的です。この大小関係の数学的に自然な指標は、それらの対数の比

$$F(A, B)=\log(D)/\log(C)$$

です。(ここでは対数の底が何であっても比の値には関係しませんが、以後の為に自然対数としておきます)。明らかに$1<D\leq ABC<C^3$ですから、常に

$$0<F(A, B)<3$$

が成り立ち、A, Bを動かすときこの値は区間 $(0, 3)$ のある部分をギッシリ埋める点集合を作るわけです。どんな集合か？

(Ⅱ) それらに入る前に少し慣れておきましょう。たとえばA, B, Cのどれもが素因子分解のすべての冪指数$=1$の場合は$D=ABC$ですから、A, Bが$C/2$に近い場合はDは$C^3/4$に近く、従って$F(A, B)$ は上限の3に近いし、逆にAまたはBが小さい場合はDはC^2に近いので$F(A, B)$ は2に近くなるわけです。他方、小さい値になる方向では、まずpを素数、mを任意に大きい自然数とすると、容易にわかるように

$$F(1, p^m-1)\leq 1+(1/m) \tag{1}$$

が成り立ちます。他方、仮にフェルマの問題に指数nで反例$A=a^n$, $B=b^n$, $C=A+B=c^n$があったとすると、Dはabcの約数ですから$D\leq abc<c^3=C^{3/n}$、従ってこれは

$$F(A, B)<3/n \tag{2}$$

なる例を与えることになります。無論ワイルズ—テイラーに

よってフェルマの問題は1990年代に解決されていて、こういう例が存在しないことはわかっているのですが、ここではABC予想の解決から別証明ができるかどうかを論じたいので「反例があると$F(A, B)$の分布に関するいかなる知見に矛盾するか」という別の切り口で見る為にこれを書いているのです。さて望月新一氏の画期的研究によって証明されたABC予想（ただし下記の意味の“non-effective version”）は：

（Ⅲ）

（ABC予想）

$$\liminf F(A, B) = 1. \tag{3}$$

ここで $\liminf F$は実数の集合の「下極限」で、上の（1）により≤ 1ですからこの主張のポイントは≥ 1の向きの不等式です。下極限の意味を知らなくても問題ありません。いいかえると

どんな実数$r < 1$を与えても、それに対して$F(A, B) < r$を満たす組A, Bはたかだか有限個しかない。

（注意）この定式化は数学者が最初にこの予想に接した時の表現とは多分異なり、違和感を持つ方がおられるかもしれません。その関連性の説明は後の（Ⅵ）でいたします。

多くの解析数論の命題や予想と同様に、ABC予想にも強

弱2つのバージョンがあります。強い方の“effective version”とは $F(A, B) < r$ を満たす可能性のある有限個の A, B の範囲や個数の上界（最良でなくてもよいから一つ上界）を r によって具体的に示せるバージョン（たとえば「有限個の例外 $F(A, B) < r$ は $\log C < 10000/(1-r)$ の範囲に収まる」というように）のこと。その種の命題抜きなのが“non-effective version”です。でもフェルマの問題が有限個の n を除いては成り立つということについてなら、その新しい証明が、（2）により（3）の系として、直ちに出るわけです。

（Ⅳ）小さい $F(A, B)$ の印象的な列

まず筆者自身がパソコンで時間をかけずに計算でき自分で確認した例は

$C=$	$A+B$	$x=\log(C)$	$y=F(A, B)$
$9=3^2=$	$1+2^3$	2.1972	0.8155
$128=2^7=$	$3+5^3$	4.8520	0.7010
$2401=7^4=$	$1+2^5.3.5^2$	7.7836	0.6870
$2673=3^5.11=$	5^4+2^{11}	7.8910	0.7349
$4375=5^4.7=$	$1+2.3^7$	8.3837	0.6378
$5832=2^3.3^6=$	$1+7^3.17$	8.6711	0.7578
$6561=3^8=$	$17^2+2^7.7^2$	8.7889	0.7476
$12168=2^3.3^2.13^2=$	$1+23^3$	9.4066	0.7965
$12288=2^{12}.3=$	11^2+23^3	9.4164	0.7779

この量は大型のコンピュータでずっと先まで計算されているようで、執筆時点で知られている $F(A, B)$ の最小値は $6436343=23^5=2+3^{10}\times 109$ のときの0.613535...とのことです。

（なお、何故かその逆数に名前 $q(A, B, C)$ がついていてそちらが計算されていました。これだと値の範囲は（1/3, ∞）になるし、筆者としては F の方が多少ましかと考え、変更しませんでした。）

（V）次に $F(A, B) < 1$ となる A, B のみすべて選び（x, y）平面上に点

$$(\log(C), F(A, B))$$

をプロットした下図をご覧ください。x 座標が大きくなっても小さめの y 座標がひょいと現れるのはどういう素因子分解をもつ $C = A + B$ か？

左のグラフは $2 \leq C \leq 5000$ の範囲、右のグラフはその先の $5001 \leq C \leq 15000$ の範囲で、x 軸のスケールは広めてあります。（y 軸の目盛りはどちらも 0.0 〜 1.0）。

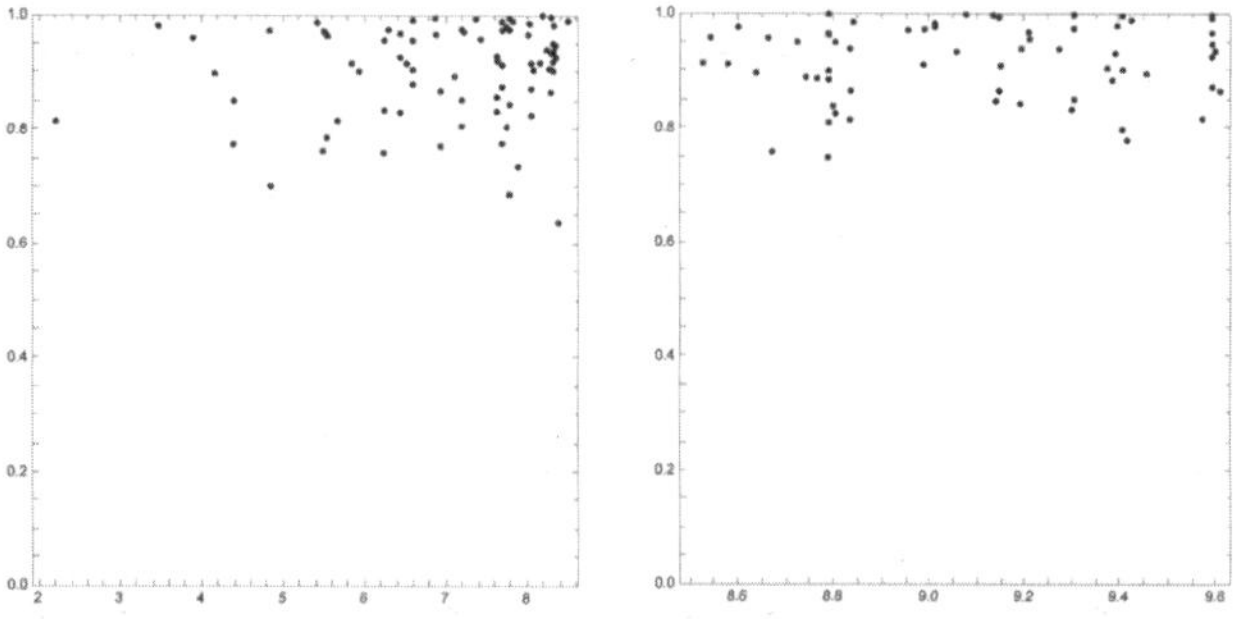

上のグラフで見られるように、他にも $F(A, B)$ の値が 0.8 前後は散見します。なお $C = 6561 = 3^8$ と $C = 14641 = 11^4$ の場

合には $F(A, B) < 1$ となる $A < B$, $A+B=C$ が複数個（6～8個）あり、右のグラフでそれぞれ縦1列に並んでいるのが見えます。

（Ⅵ）さて、ABC 予想の最も流布された表現は、「任意の $\varepsilon > 0$ に対して、$D/C^{1-\varepsilon}$ は下に有界であろう」、対数をとり $r=1-\varepsilon$ と置いて言い換えると
(＊)「$r<1$ を任意に固定するとき

$$\log(D) - r\log(C)$$

は下に有界であろう」という主張です。
他方、ここの（Ⅲ）の表現では
(＊＊)「$r<1$ を任意に固定するとき

$$\log(D)/\log(C) < r$$

を満たす (A, B) はたかだか有限個しかないであろう」でした。
エー、同値かな？　と疑われるかもしれません。（＊＊）なら（＊）は自明ですが、（＊＊）の否定から（＊）の否定は？と。でも両者で同じ r を対応させる必要はありません！　ある $r<1$ に対して（＊＊）が否定されると（＊）は $r<r'<1$ なる r' に対して否定される、というのでよいわけです。（相異なる (A, B) の無限列があれば C、従って $(r'-r)\log C$ も無限大に発散することだけ注意。）以上、簡単な頭の体操でした。

著者略歴

伊原康隆（いはら やすたか）
1938年5月東京都生まれ。理学博士。東京大学・京都大学名誉教授。日本学士院賞（98年）。
著書『志学数学』（丸善出版）、『とまどった生徒にゆとりのあった先生方―遊び心から本当の勉強へ―』（三省堂書店／創英社）。
63年3月東京大学数物系大学院修士課程修了後、勤務先の東京大学理学部（90年まで）と京都大学数理解析研究所（02年まで）を本拠地に、欧米の諸大学を主な中期滞在先に、数学（おもに整数論）の研究と教育に携わった。趣味は音楽、水泳、分子生物学。

文化の土壌に自立の根
―音楽×知性、数学×感性など越境自在な根の動きを追う―

2021年12月22日　初版発行

著　者　　伊原康隆
発行・発売　株式会社三省堂書店／創英社
〒101-0051　東京都千代田区神田神保町1-1
Tel：03-3291-2295　Fax：03-3292-7687
印刷／製本　三省堂印刷株式会社

ISBN978-4-87923-129-1　C0037